JUGAR CON FUEGO

Sharon Sala

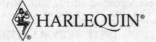

Editado por HARLEQUIN IBÉRICA, S.A.
Hermosilla, 21
28001 Madrid

I.S.B.N.: 84-671-0968-8
Depósito legal: B-28760-2003
Editor responsable: M. T. Villar
Diseño cubierta: María J. Velasco Juez
Composición: M.T., S.L.
Avda. Filipinas, 48. 28003 Madrid
Fotomecánica: PREIMPRESIÓN 2000
c/. Matilde Hernández, 34. 28019 Madrid
Impresión y encuadernación: LITOGRAFÍA ROSÉS, S.A.
c/. Energía, 11. 08850 Gavá (Barcelona)
Fecha impresion para Argentina:10.12.04
Distribuidor exclusivo para España: LOGISTA
Distribuidor para México: CODIPLYRSA
Distribuidores para Argentina: interior, BERTRAN, S.A.C. Vélez
Sársfield, 1950. Cap. Fed./ Buenos Aires y Gran Buenos Aires,
VACCARO SÁNCHEZ y Cía, S.A.
Distribuidor para Chile: DISTRIBUIDORA ALFA, S.A.

Capítulo Uno

El callejón entre la calle Cuarta y el boulevard Beauregard no era el mejor sitio en Tulip, Georgia, para que se estropease una camioneta. Estaba anocheciendo y no había nadie alrededor. Tyler Savage estaba tumbado en el suelo, boca arriba, debajo de su camioneta, maldiciendo por la poca luz de su linterna y por su mala suerte. Y como estaba tan concentrado en intentar encontrar y detener el escape de aceite que brotaba en algún lugar sobre su cabeza, no escuchó el sonido de pasos acercándose. Instintivamente giró la cabeza y pudo ver a una mujer corriendo por el callejón. Desde donde estaba tumbado, él no podía ver la cabeza de aquella mujer, pero pudo echar un buen vistazo al chándal gris que llevaba puesto. Tenía una figura estupenda, unas piernas increíblemente largas y un pecho que se movía rítmicamente.

Sin ser algo habitual en Tyler, silbó en el momento que ella pasó por su lado y sonrió cuando ella se detuvo. Pero antes de que pudiera salir de debajo de su camioneta y presentarse, una gota enorme de aceite aprovechó la oportunidad para aterrizar sobre el puente de su nariz.

Murmurando enfurecido y frotándose los ojos con un trapo, se levantó del suelo. Cuando fue capaz de volver a ver, ya no había ni rastro de ella. Disgustado, dio una patada a la rueda de su vehículo y empezó a andar en dirección a la casa de Raymond Earl Showalter. Raymond Earl era el dueño del único taller en la ciudad y, en sus días de soltero, había sido un buen compañero de juergas de Tyler.

Mientras Tyler iba andando, iba pensando sobre quién podría ser la mujer que había visto. Ninguna de las mujeres de Tulip estaban interesadas en el deporte. Parecía que estaban más inclinadas en llevar una vida al estilo típicamente sureño: casarse lo antes posible y tener hijos.

Si lo que acababa de ver no había sido una alucinación, y él estaba seguro que no lo había sido, significaba que había una chica nueva en la ciudad, pero ¿quién demonios sería?

Mientras Raymond Earl estaba ayudando a Tyler, Amelia Beauchamp se metía a toda prisa en el asiento delantero del destartalado coche de Raelene Stringer. Desde que comenzó su aventura, había sido la primera vez que alguien había estado tan cerca de descubrirla. Pero lo peligroso no era el hecho de que casi la ven, si no quién había estado a punto de verla.

Entre todas las personas posibles, había tenido que ser Tyler Savage. Su corazón latía con fuerza mientras se terminaba de maquillar y de arreglar el pelo. La razón de su nerviosismo era aquel hombre. Tyler Dean Savage era el galán soltero más deseado de la ciudad. Amelia había sentido algo por él desde siempre. Desgraciadamente, Tyler nunca había dado una oportunidad a Amelia. Ella se miró en el espejo retrovisor y suspiró. Pero a Amber... eso era otra historia.

El reloj de su abuelo, colgado en el vestíbulo de la casa de Amelia Beauchamp, marcaba las dos de la madrugada cuando ella abrió la puerta y suspiró con alivio. Atrás quedaba otra noche llena de secretos. Subió las escaleras silenciosamente hasta su cuarto. La imagen que le devolvió el espejo de su tocador hubiera sorprendido a sus tías. No hubiesen reconocido a su Amelia. Ella frunció el ceño mientras se quitaba unos pendientes de bisutería rojos. Se cepilló el espeso pelo marrón hacia atrás. Untó los dedos en una cremosa loción desmaquillante y se la esparció por la cara. La pintura roja del pintalabios y la sombra de ojos dorada se quedaron en la bola de algodón que se pasó por el rostro; inmediatamente después, se deshizo de ella tirándola por el retrete. No podía quedar ningún rastro de Amber en la casa, porque allí era donde vivía Amelia.

Mientras escondía su chándal gris en una esquina del armario, se escuchó el suave canto de un búho a través de la ventana abierta, el único testigo de la mentira de Amelia. Descolgó su camisón de una percha y se lo puso, disfrutando de la familiaridad del tejido de algodón, en contraste con el satén rojo brillante del traje que se había puesto para trabajar.

Tan pronto como su cara tocó la almohada, ella cerró los ojos y no los volvió a abrir hasta que la voz de su tía Wilhemina la despertó a la mañana siguiente.

–¡Amelia! Despierta, ya es muy tarde y vas a llegar tarde a trabajar.

Amelia soltó un gruñido y se levantó de la cama. Solamente ella tenía la culpa de sentirse tan mal, pero si su plan funcionaba, merecería la pena el esfuerzo.

Cuando se había ido a vivir con sus tías abuelas, Wilhemina y Rosemary Beauchamp, ella había sido una niña de nueve años, muy delgada y demasiado alta para su edad. Sus tías eran los únicos familiares vivos que le quedaban después de que sus padres murieran en un terremoto en México mientras trabajaban como misioneros.

Amelia, que había estado acostumbrada a vivir de país en país, había experimentado un choque cultural tan grande, cuando había ido a vivir con sus dos tías mayores, como el que habían experimentado ellas cuando Amelia llegó a su casa. Pero las Beauchamps eran muy responsables y tenían que hacer lo correcto. Amelia se quedaría y poco a poco la fueron convirtiendo en una pequeña y joven réplica de ellas mismas.

Amelia persistentemente había conseguido conservar su personalidad durante la escuela. Había mantenido una cierta independencia en sus días en el instituto y había tenido una vida social bastante normal. Incluso había tenido un pretendiente bastante serio, pero cuando se lo había presentado a sus tías las cosas entre ellos nunca habían vuelto a ser igual. Amelia había supuesto que él había visto su futuro, no solamente junto a una esposa sino al cuidado de dos ancianas, y no le había gustado. Ella se había quedado totalmente devastada por la ruptura, pero lo superó rápidamente. Aquel pretendiente le había robado su amor, la confianza en los hombres y su virginidad.

Con el paso del tiempo, Amelia no se había dado cuenta de que poco a poco había empezado a vestir y a comportarse como sus tías. Además, el tiempo le había hecho otro extraño favor: le había devuelto la confianza en los hombres. Lo único que nunca podría recuperar era su virginidad, pero se alegraba de ello. Hubiera odiado tener que morir sola y virgen. Fue al darse cuenta de ello cuando surgió una rebelión en su interior. Amelia se veía a sí misma con veinte, treinta e incluso cuarenta años haciendo lo mismo, en la misma casa, en la misma ciudad, con el mismo estilo de ropa y sola. Siempre sola. Ella adoraba y quería a sus tías, pero no tenía ninguna intención de acabar como ellas. Amelia quería emoción y aventura, quería salir de Tulip. Por eso necesitaba un coche nuevo, pero con el salario de una bibliotecaria aquello era imposible. Para sus tías el viejo Chrysler azul era más que suficiente, pero ella no podría ver el mundo en un Chrysler de los años setenta.

Consciente de que su tía Willy volvería a gritar su nombre si no se daba prisa, Amelia corrió al baño. Apresuradamente se puso un anodino vestido color crema, se recogió el pelo y se pintó ligeramente los labios de rosa claro. Mientras bajaba por las escaleras se colocó sus enormes gafas de pasta negra. Ya estaba preparada para que la señorita Amelia empezara el día como bibliotecaria en la biblioteca de Tulip, Georgia.

–Siéntate, muchacha –ordenó Wilhemina mientras colocaba un plato con comida caliente sobre la mesa.

Con la intención de beber solamente un poco de zumo de naranja, Amelia apartó de su lado el plato de comida.

–No, gracias, tía Willy. No tengo mucha hambre.

Wilhemina arqueó una ceja. Fue suficiente para que Amelia acercase de nuevo el plato y empezase a comer.

–Buenos días, tía Rosie –dijo cuando vio a su otra tía de pie mirando por la ventana.

Rosemary parpadeó y sonrió a su sobrina.

–No hables con la boca llena –reprendió Wilhemina a la joven.

–Deja a la chica en paz, Willy –murmuró Rosemary.

–Te he dicho miles de veces que mi nombre no es Willy.

–Pero Amelia te llama así..

–Ya sé cómo me llama –dijo Wilhemina–. Cuando era pequeña no sabía pronunciar mi nombre, era demasiado difícil.

Amelia había tenido suficiente; se levantó, besó en la frente a las ancianas y se despidió.

–Hasta esta noche –dijo antes de irse. La biblioteca de Tulip la estaba esperando.

Una burbuja de excitación crecía en su interior mientras conducía. Estaba dando los primeros pasos para cambiar su futuro. Ella no veía como un paso trabajar de camarera por la noche en un club, sino como un salto. Para ella, lo más difícil del trabajo era ponerse aquel minúsculo traje rojo tres noches a la semana. Dejaba muy poco para la imaginación y mucho para el ojo humano, pero el dinero que estaba ahorrando era incentivo suficiente para superar su vergüenza.

Tyler Savage giró en la calle principal y se dirigió hacia la oficina de correos. Sus manos bronceadas agarraban con fuerza el volante de su camioneta. Gracias a la ayuda de Raymond Earl volvía al trabajo. Iba calculando mentalmente la cantidad de fertilizante que necesitaba, cuando tuvo que frenar bruscamente. Effie Dettenberg estaba cruzando la calle y solamente se giró para mirarlo cuando llegó hasta la otra acera. Él la saludó con la mano sin darse cuenta de que había otra persona, aparte de Effie, que lo estaba mirando.

Amelia agarró con fuerza los libros, que acababa de recoger de la librería, e intentó no mirar fijamente al hombre de la camioneta. No estaría bien, pero Tyler Savage requería más que un simple vistazo. Todavía era el metro ochenta más deseado de todo Tulip, Georgia. Tenía el pelo negro, tan revuelto como su reputación, y unos ojos azules que siempre estaban sonriendo, incluso si su sensual boca no lo hacía. Tyler Savage y su aspecto de chico malo siempre habían estado presentes en los sueños de Amelia.

Ella suspiró. ¿Por qué siempre los más guapos eran también los más juerguistas? No había nadie que contestara a su pregunta, pero daba igual. Los hombres como él no se fijaban en mujeres como Amelia Beauchamp.

Ella se acomodó los libros y sonrió a Effie Bettenberg cuando se cruzó con ella.

–Buenos días, señora Effie. Hoy ha salido muy temprano.

Effie pasó una arrugada mano por su pecho con desaliento, como si acabara de escapar del infierno.

–¿Pero has visto eso?

–¿Ver el qué, señora Effie?

–A ese chico, Tyler Savage. ¡Casi me atropella! A gente como a él no le deberían permitir conducir.

Amelia intentó no sonreír. Aquel chico ya había sobrepasado los treinta años y era un hombre adulto.

–Señora Effie, lo he visto aminorar y usted sabe que es verdad.

–Bueno, me da igual. Con la reputación que tiene no deberían dejarlo salir –gruñó la anciana, pero de pronto bajó la voz y miró por encima de su hombro asegurándose de que no la escuchaba nadie–. Ya sabes lo que dicen de esos Savages.

Amelia intentó ignorar la sacudida que le dio el corazón, pero no sirvió de nada. Cualquier cosa que dijeran sobre Tyler Savage era de su interés.

–No, señora. No lo sé.

La voz de Effie no era más que un susurro.

–Dicen que eran contrabandistas y que... –hizo una pausa para tomar un poco de aire y ajustarse las gafas sobre la nariz–, esos contrabandistas cohabitaron con los indios. Por eso tienen el pelo tan negro y los pómulos tan marcados.

Amelia sonrió.

–Pero señora Effie, eso fue hace más de doscientos años. No se lo puede culpar por lo que sus antepasados hicieron o dejaron de hacer.

–Escúchame una cosa, Amelia Beauchamp, mantente alejada de ese tipo. Solamente te acarreará problemas.

–Sí, señora –dijo Amelia ignorando los pinchazos en su estómago–. Venga conmigo a la biblioteca, he recibido uno de esos libros de manualidades que tanto le gustan.

Una cosa era cambiar de tema y sacar a la señora Effie de las calles, pero otra muy distinta era quitarse a Tyler de la cabeza.

El reloj sonó seis veces seguidas mientras Amelia jugaba con su tenedor. Quedaban menos des tres horas para que sus tías se metieran en la cama y ella se fuera al club con Raelene Stringer. A sus tías les daría un ataque si supieran que no solamente trabajaba en el mismo lugar que la mujer «perdida» de Tulip, sino que también iba y venía con ella en el coche.

Wilhemina frunció el ceño.

—Amelia, no rayes el plato. Creo que te he enseñado mejores modales que esos.

—Sí, señora —murmuró ella mientras suspiraba y dejaba el tenedor a un lado.

Se levantó y se dispuso a recoger la mesa.

—Yo fregaré los platos. ¿Por qué no vais al salón y encendéis la televisión? Es casi la hora de vuestro programa preferido.

Rosemary dio unas palmaditas de alegría.

—Me encanta *La Rueda de la Fortuna*. Quizá algún día me vaya a California y participe en el concurso. El presentador me recuerda a...

Wilhemina volvió a fruncir el ceño.

—No seas absurda. Ese concurso es casi como ir al casino, y nosotras no vamos al casino y... —señalando a su hermana con el dedo añadió—:

California está muy lejos de aquí; tendríamos que volar, y nosotros no volamos.

–Por supuesto que no –murmuró Rosemary mientras salía de la cocina–. Solamente los pájaros vuelan. Te juro, Willy, que me parece que te estás volviendo senil. He leído el otro día que...

Las mandíbulas de su hermana se apretaron fuertemente.

–No estoy senil... y tú lees demasiado.

Amelia suspiró, volvió a mirar el reloj y empezó a fregar los platos mientras sus tías desaparecían discutiendo hacia el salón.

Un par de horas después, intentaba no volver a mirar el reloj, preguntándose si sus tías se irían alguna vez a sus habitaciones. Para su alivio, tía Willy apareció en lo alto de las escaleras en albornoz. Su pelo largo y gris caía sobre sus hombros y por encima de su pecho plano.

–Amelia, ¿no subes? –preguntó ella desde arriba–. Son casi las ocho y media.

Sus tías se iban a la cama siempre muy pronto. Era como una filosofía de vida, nunca faltaban a su rutina. Amelia se mordió el labio inferior. Odiaba tener que mentir, pero no le quedaba más remedio si quería comprarse un coche.

–No, tía Willy, todavía no. Primero quiero terminarme este libro.

Wilhemina frunció el ceño. No le hacía falta mirar para saber que Amelia probablemente estaba leyendo otro de esos romances. Eran sus favoritos.

–Tienes que dejar de leer esa porquería, solamente consiguen confundirte. Yo te recomiendo *Mujercitas,* siempre ha sido mi preferido y un libro de lo más saludable.

Amelia puso los ojos en blanco.

—Sí, señora. Lo recordaré.

La puerta del cuarto de la tía Willy se cerró y Amelia consultó el reloj. Quedaba menos de media hora para encontrarse con Raelene Stringer.

Con un suspiro cerró el libro y lo dejó entre los cojines. Se acercó hasta el armario de la entrada y sacó una bolsa pequeña y un par de zapatillas. Todo lo que necesitaba para trabajar estaba allí dentro. Echando una última mirada a su alrededor, apagó las luces y muy despacio salió de la casa cerrando la puerta principal tras ella.

Las calles estaban prácticamente vacías. Llevaba puesto su chándal gris y fue corriendo hasta su destino. Raelene la estaba esperando en la esquina de la calle Quinta y Delaney.

Sonrió cuando Amelia se deslizó en el asiento del copiloto.

—¡Hola, cariño! Pensé que ya no vendrías —dijo encendiendo el motor y las luces del coche. El ruido irregular indicaba que algo necesitaba ser reparado.

Cuando Amelia había conseguido el trabajo en el Old South, su emoción había disminuido al darse cuenta de que llegar hasta el local iba a suponer un serio problema. Los autobuses que comunicaban Tulip y Savannah eran esporádicos.

Raelene, cuando la había visto salir del despacho del jefe, se había sorprendido. La bibliotecaria era la última persona que ella hubiera imaginado entrando en el Old South.

Se trataba de un club nocturno, donde los hombres asumían que las mujeres, simplemente por el hecho de trabajar allí, estaban para algo más que para servir las bebidas. Por supuesto, a Raelene nunca la había preocupado aquella asunción. Había conocido a algunos de sus hombres favoritos de aquella manera. Cuando le presentaron a Amelia como «Amber Champion», ella no dijo nada. Se limitó a arquear una ceja, cambiarse el chicle de lado dentro de la boca y ofrecerle el coche.

Amelia parpadeó mientras el coche despedía humo y hacía unos ruidos un tanto extraños. Era justo lo que necesitaba. Si el coche de Raelene explotaba en mitad de la calle principal de Tulip, todo terminaría. Para su tranquilidad, parecía que el coche se estabilizaba, con lo cual Amber se podría concentrar en su aspecto. Bajó el parasol del coche y, mirándose en su pequeño espejo, empezó a sacar el maquillaje de una bolsita. Cambió sus enormes gafas por unas lentillas. Mientras, Raelene miraba de reojo el pelo castaño de Amber con un poco de envidia.

–Chica, no sé por qué escondes tu preciosa cara detrás de esas gafas. Una vez intenté ponerme el pelo de ese color y me quedó más chillón que el escaparate de la tienda de muebles de Muphy. ¡Y esos ojos! Deberías llevar siempre lentillas. Creo que nunca he conocido a nadie que tenga los ojos azules y verdes al mismo tiempo.

—Mi padre los tenía —dijo Amelia mientras cruzaban el puente a las afueras de la ciudad—. Y llevo gafas porque son muy cómodas. Mi tía Willy dice que me hacen parecer muy profesional.

Raelene miró hacia el cielo.

—No estoy de acuerdo. Lo único que hacen es esconder esa preciosidad de ojos y añadirte al menos diez años. Si quieres llevar gafas, tienes que elegir unas más modernas. He visto una foto...

Amelia sonrió y dejó a Raelene hablar. No importaba lo que le dijera; Raelene no esperaba que le respondieran. Casi sin darse cuenta habían llegado al aparcamiento del club. Los coches ya habían comenzado a llenarlo. Sería una noche muy ajetreada.

—Ya estamos aquí —dijo Raelene cuando apagó el motor.

Amelia empezó a guardar todas sus cosas antes de mirarse por última vez en el pequeño espejo.

—Será mejor que nos demos prisa. Tony nos matará si llegamos tarde.

Ambas salieron rápidamente del coche.

—Entonces, Tyler, ¿tú qué opinas?. Si contratas tu cosecha de cacahuete conmigo saldrás ganando, seguro. Independientemente de cómo fluctúe el precio a la hora de la cosecha, tienes asegurado un beneficio sustancial.

Tyler sonrió. Seth Hastings era el mago de los mercados de materias primas. Y el hecho de que su padre fuese propietario de una de las mayores factorías de la zona, fortalecía su posición aún más.

–Sí, Seth. Supongo que podría hacer mucho dinero, salvo que mi cosecha se arruine y entonces tenga que ir a comprarle a alguien su maldita cosecha para cumplir mi contrato contigo.

Seth Hastings lo miró.

–Tyler, sabes perfectamente que eso no va a ocurrir. Eres uno de los mejores granjeros del estado. No has arruinado ninguna cosecha desde que empezaste a usar pantalones largos.

–He estado muy cerca –discutió Tyler, entonces se recostó en su silla y cruzó una pierna sobre su rodilla–. Pero voy a intentarlo.

–Está bien –contestó Seth mientras daba un par de palmadas–. Esto hay que celebrarlo, y conozco el mejor lugar para hacerlo. ¿Has estado alguna vez en el Old South?

Amelia brillaba sobre la pálida luz como si se tratase de fuegos artificiales en una noche de verano. Su cuerpo esbelto estaba perfectamente encajado en un vestido rojo brillante de satén. Lorna, la socorrista en la piscina pública de Tulip, llevaba un vestido exactamente igual que el suyo, solo que no le quedaba tan bien y sus piernas no eran ni la mitad de largas que las de Amelia. Trató de ignorar el ligero tacto de la mano de un hombre en la parte posterior de su muslo según andaba entre las mesas de los clientes.

–Estaré con usted enseguida, señor –dijo Amelia mirando hacia abajo.

–Estaré esperando –contestó él.

Continuó hacia la siguiente mesa reprimiendo las ganas de tirarle la bandeja de bebidas encima.

Seth estaba mirando a su alrededor mientras soltaba un silbido. Estaba sentado junto a Tyler en una esquina oscura del club.

–¡Qué chicas...!

Tyler siguió la mirada de su amigo y dejó de reír cuando vio a la mujer del vestido rojo con aquellas piernas largas, tan increíblemente largas. Por un momento se le cortó la respiración. La estuvo observando atentamente, cómo servía a todos aquellos maleducados sin que la sonrisa de su cara desapareciera. De pronto su interés se fue convirtió en lujuria. Hacía muchos años que no se excitaba de aquella manera.

–Esa es una señorita muy guapa –murmuró Seth.

Los ojos de Tyler se entrecerraron. «Guapa» no era suficiente. Entonces, Seth sonrió y le dio un codazo.

–¡Qué bien! Viene hacia aquí. Parece que esta noche tendremos suerte, amigo. Estamos sentados en una de sus mesas –murmuró Seth.

–¿Qué van a tomar los caballeros?

Amelia estaba de pie con un lápiz en la mano y con la mirada un tanto perdida. Nunca miraba a los hombres a los ojos, era su manera de conservar su anonimato.

El hombre que estaba de espaldas a la pared murmuró algo completamente ininteligible y Amelia se vio obligada a mirarlo. Le dio un vuelco al corazón y notó que el sudor comenzaba a resbalar por su espalda. Sus miradas se entrecruzaron. Tyler levantó la vista para encontrarse unos ojos increíblemente verdes. No, quizá fueran azules. Y vio cómo ella palidecía debajo de su maquillaje.

Amelia soltó un gruñido. Sabía que aquello terminaría sucediendo. ¿Qué diablos haría? Si él volvía a Tulip y se lo contaba a todo el mundo, ella estaría acabada. Pero allí estaba. El hombre de sus sueños, y ella tenía que reprimir el impulso de salir corriendo.

–Perdóneme, señor. No he oído lo que quería –dijo agachándose un poco. La música estaba tan alta que era imposible escuchar nada.

Al inclinarse hacia delante, los dos hombres tuvieron la oportunidad de ver de cerca aquel pronunciado escote y aquellos pechos ceñidos bajo el satén rojo.

Tyler se quedó tan hechizado al verla de cerca, que sintió la necesidad de tumbar a aquella mujer sobre la mesa para quitarle aquel vestido poco a poco y... Para su asombro, verbalizó sus pensamientos.

–¿Que qué quiero? Te quiero a ti –«¡Dios mío! ¿Qué he dicho?»–. Lo que quiero decir... discúlpeme, por favor. Seth, ¿tú qué quieres? Yo necesito... ¿dónde está...?

Amelia suspiró aliviada. No la había reconocido.

–Primera puerta a la derecha –dijo mientras Tyler se levantaba de la mesa.

Tyler se inclinó sobre el lavabo. Se echó agua fría sobre la cara, aunque aquella no era la parte de su cuerpo que más necesitaba enfriarse. No se había excitado tanto desde que había dejado de ser un adolescente.

«¿Qué diablos me acaba de suceder?», pensó mientras se secaba la cara con toallitas de papel. Al mirarse en el espejo se dio cuenta de que no tenía buen aspecto, estaba asustado. Tiró las toallitas a la basura y salió del baño.

–¿Estás bien? –le preguntó Seth–. Te he pedido una cola; he pensado que no te vendría bien beber nada alcohólico. Parece como si estuvieras enfermo.

Tyler se encogió de hombros, no estaba dispuesto a admitir que aquella mujer le había afectado tanto.

–Estoy bien, no sé que me ha pasado...

Mientras hablaban, pudo notar, incluso en aquel ambiente tan cargado de humo, el olor inconfundible de su perfume. Ella se acercaba de nuevo.

Amelia se aproximó por detrás de él y colocó un platito con frutos secos sobre la mesa. Cuando su brazo apareció en el área de visión de Tyler, él dio un respingo en su silla.

–Perdone, no era mi intención asustarlo –dijo ella agachándose un poco para hacerse oír.

Él la miró a los ojos.

–No se preocupe, ¿señorita...? –terció Seth sonriendo, hizo una pausa esperando que ella dijese su nombre.

–Me llamo Amber –respondió Amelia–. ¿Queréis algo más?

Tyler la tomó del brazo.

–Sí.

Ella esperó y esperó un poco más mientras los dedos de él la apretaban en la muñeca.

–Tráeme algunos cacahuetes –añadió Tyler.

Amelia lo miró extrañada y le acercó la bandejita que acababa de poner sobre la mesa.

–Mmm... gracias, no los había visto –murmuró él.

Seth movió la cabeza divertido, aquello mejoraba por minutos.

–¿Algo más? –preguntó Amelia.

–Gracias, si queremos algo más te llamaremos –dijo Seth–. Eres un encanto, Amber.

Tyler frunció el ceño. No le gustaba que su amigo la piropease. Tomó su vaso y se bebió el refresco de un solo trago.

Seth sonrió con burla.

–¿Es una antigua novia?

–Ya me gustaría –murmuró Tyler–. Y será mejor que te calles, porque todavía no he firmado ningún contrato contigo y como te sigas burlando...

Seth se mordió los labios y con una expresión muy cómica se puso muy serio.

–Tranquilízate, Tyler y tómate un cacahuete.

Capítulo Dos

Era casi la hora de cerrar y sin ninguna duda, aquella noche había sido para Amelia la más larga de su vida. La tensión por la presencia de Tyler Savage la había dejado agotada; menos mal que no la había reconocido.

Se dispuso a contar el dinero de sus propinas sobre la barra. Raelene empezó a hacer lo mismo, mientras otros empleados empezaban a recoger el local. Entonces una voz en su oreja hizo que se sobresaltara. La mano de Tyler Savage se deslizó e introdujo un dólar en su escote.

–Se te ha caído esto –dijo él con una sonrisa.

–Gracias –balbuceó Amelia esperando que no la mirara muy de cerca.

–¿Amber...?

Se le detuvo el corazón cuando notó aquella profunda y sensual voz en su nuca.

–¿Qué? –murmuró mientras metía su dinero en una bolsa. Tenía que alejarse de él, y tenía que hacerlo rápido. Se estaba poniendo muy nerviosa.

–¿Te gustaría salir conmigo algún día? Podríamos ir a cenar, al cine o a bailar, lo que tú prefieras.

Tyler esperó ansioso su respuesta. Había estado una hora entera, desde que Seth se había ido a casa, mirando cómo servía las mesas. Por alguna extraña razón no le era completamente desconocida, aunque nunca la hubiera visto antes.

Amelia estaba desesperada. Le había pedido una cita, ¿qué podría hacer? Todos aquellos años ignorándola y en aquel momento se fijaba en ella, no era justo. Tenía que reconocer que ella no había hecho nada para atraer la atención de aquel hombre, y como Amber no lo había necesitado; su vestido ajustado lo había hecho todo por ella.

–No nos conocemos –dijo–. No creo que una cita sea apropiado.

Tyler no podía creer lo que estaba escuchando. Entre todas las respuestas posibles, aquella era la que menos esperaba. Lo apropiado y las camareras tenían muy poco en común.

–Nos podremos conocer mucho mejor si accedes a salir conmigo.

Amelia soltó un pequeño gruñido y cerró los ojos. Era totalmente imposible que ella saliera con él.

–Muchísimas gracias –dijo suavemente–, pero no creo que sea una buena idea.

Tyler no escuchó nada de lo que dijo. Estaba absorto mirando aquellos sensuales labios moverse y, notando aquel aliento sobre su cara, concentrarse en sus palabras era imposible. De pronto vio que ella empezaba a alejarse.

–¿Eso significa un «no»?

–Significa exactamente lo que acabo de decir, caballero: que no creo que sea una buena idea.

–Me llamo Tyler... Tyler Savage, y soy muy bueno en hacer que la gente cambie de opinión –dijo apartándole un mechón de pelo de la cara.

Amelia aguantó la respiración cuando notó el tacto de su dedo en la piel.

–Está bien –continuó él diciendo–. Esta vez tú ganas, pero volveré y entonces necesitarás una excusa mejor que la de esta noche, ¿de acuerdo?

Amelia respiró profundamente cuando lo vio marchar. Sabía perfectamente qué le pasaba. Si al menos lo hubiera hecho con alguien recientemente... no hubiera dudado ni un instante en aceptar aquella oferta que ella tanto deseaba.

–¡Cariño! –exclamó Raelene–. ¿Por qué lo has dejado marchar? Ya sabes lo que dicen de él, ¿verdad?

–¿De quién? –dijo Amelia, fingiendo que no lo conocía de nada. No quería que Raelene supiese que durante los últimos ocho años había estado poniendo la cara de Tyler a los protagonistas de sus novelas románticas.

Raelene, que sabía perfectamente quién era Amber y por lo tanto sabía que conocía a Tyler de toda la vida, no quería discutir.

–Él, Tyler Savage. Tiene un cuerpo imponente. Ya ha cumplido los treinta y nunca ha estado casado. Los rumores dicen que es un animal ardiente en la cama.

–¡Ah, sí! He escuchado esos rumores, pero si fuesen verdad no estaría interesado en mí –dijo Amelia que estaba desesperada por salir con Tyler, pero que se lo impedía su miedo a que la reconociese.

Raelene le pasó un brazo por los hombros.

–Bueno, ya está bien por esta noche, vámonos.

Al cabo de un rato, el coche de Raelene dejaba a Amelia a un par de bloques de distancia de la residencia Beauchamp.

–Gracias por traerme –dijo Amelia sonriendo–. Hasta mañana.

–Cariño, ya es mañana –contestó su amiga bostezando.

–¡Es verdad!

Empezó a andar entre los callejones en dirección a su casa. En unos minutos estaba entrando por la puerta. Respiró aliviada al pensar que había pasado otra noche sin que nadie la descubriese.

Tyler tomó un puñado de cacahuetes maduros del suelo, comprobó que las hojas de los árboles estaban en perfecto estado y que los frutos inmaduros no tenían ningún bicho. La semana pasada había pagado una alta suma de dinero para que fumigasen su cosecha. Miró hacia el limpio cielo azul y hacia el horizonte, donde ya asomaban las nubes que el hombre del tiempo había dicho que traerían lluvias.

Empezó a andar entre el cultivo, sobre la tierra caliza, rica y llena de nutrientes de Georgia. Por primera vez en su vida no lo satisfacía el hecho de saber que estaba andando entre dinero. En lo único en lo que pensaba era en que el sol se pusiese, en el club a las afueras de Savannah llamado Old South y en una chica llamada Amber.

–¡Jefe! –gritó un hombre– ¿Quiere que encendamos el riego automático?

Tyler lo miró; por un instante se había olvidado dónde estaba. Levantó la mano e hizo un gesto negativo a Elmer.

–No, no hace falta. El hombre del tiempo ha dicho que va a llover, así que con un poco de suerte no necesitaremos regar en un par de días.

–Usted manda –contestó Elmer.

Raelene carraspeó y le dio un pellizco a Amelia en la cintura.

–¡Madre mía! Mira quién está ahí. Ha vuelto. Vas a tener que ayudar a ese hombre, chica. ¿Cuántas veces ha venido aquí ya? ¿Cuatro, cinco...?

Amelia suspiró intentando ignorar el latido frenético de su corazón, que se disparaba cada vez que veía a aquel hombre entrar en la sala.

–Seis –murmuró Amelia–. Y se ha vuelto a sentar en una de mis mesas.

Raelene soltó una carcajada.

–Por supuesto, cariño. ¿Por qué crees que viene aquí? No creo que sea por la música. Siempre que viene se pasa toda la noche mirándote –contestó Raelene–. Acércate y dale algo que no pueda olvidar –añadió riendo.

Amelia miró a su amiga, y luego, sin decir nada, se acercó hasta él para tomarle nota.

–¿Qué va a ser? –preguntó con el lápiz y el cuaderno de notas preparados.

–Ya sabes lo que quiero –contestó él suavemente–, pero mientras tanto, puedes traerme un refresco.

–Pueden servirte un refresco más rápidamente en la barra.

–Sí, pero las camareras no son tan guapas, ni les queda la ropa tan bien como a ti.

Para ella, escuchar aquellos piropos era una tortura. Aquella voz despertaba muchas sensaciones en su interior. Aquellos ojos recorrían su cuerpo desnudándola, y ambos los sabían.

Amelia se acercó hasta la barra. Dejó la bandeja sobre ella y gritó sus pedidos. Mientras esperaba cerró los ojos. Aquello la estaba volviendo loca, no podía soportarlo más. Iba a ponerle punto final y lo iba a hacer en aquel preciso momento.

Una vez que tuvo la bandeja llena con las bebidas, se dispuso a servirlas, dejando el refresco de Tyler para el final.

–Aquí está tu cola –dijo ella rápidamente–. Está bien, has ganado.

Él contuvo la respiración.

–¿He ganado?

Amelia lo miró fijamente.

–¡Sabes perfectamente a qué me refiero! No

te hagas el tonto conmigo a estas horas de la noche –dijo echándose un poco hacia delante mientras hablaba.

Él apartó su bebida a un lado y se puso de pie. Sus rostros estaban separados por escasos centímetros, podían notar sus respiraciones en sus respectivas mejillas.

–¿Cuándo?

Amelia alzó la mirada y se apretó la bandeja contra el pecho.

–Cuanto antes mejor. Entonces, quizá, se te olvide este tema de una vez y yo podré volver a trabajar tranquila.

–¿Qué te parece mañana por la noche?

Amelia lo pensó un instante y luego asintió con la cabeza. Se dio la vuelta y empezó a alejarse, pero se detuvo en seco al oír su voz.

–¿Amber?

Se giró hacia él.

–Tengo un pequeño problema –añadió Tyler.

Ella esperó a que él continuase hablando.

–No sé cuál es tu apellido... o dónde vives –dijo Tyler finalmente.

–Mmm... es Champion, y no te preocupes en irme a buscar, nos encontraremos aquí sobre las nueve.

–¿Tan tarde?

–Eso o nada. Tengo dos trabajos, me es imposible venir antes.

–Está bien, acepto –contestó él suavemente.

–Ahora tengo que volver al trabajo –murmuró ella.

Él se acercó de nuevo, puso las manos sobre sus hombros y las deslizó hasta sus codos.

–No te arrepentirás, Amber.

«Ya lo he hecho», pensó ella mientras sonreía.

Se había pasado media vida arrepintiéndose de lo que hacía. ¿Qué le estaba sucediendo? Quería comenzar una nueva vida, y salir con Tyler Savage no era una buena manera de empezar. Intentó convencerse pensando en que, si todavía no la había reconocido, ya no lo haría.

Tyler, con el pulso acelerado, se quedó mirándola mientras se alejaba. Estaba seguro de que la noche siguiente iba a ser la mejor noche de toda su vida y, si todo salía como él esperaba, a lo mejor era el principio del resto de ella.

–¡Ameliaa!

Amelia entró rápidamente en al cocina.

–¿Sí, tía Willy?

–El desayuno ya está preparado, llegas tarde.

Wilhemina colocó un plato caliente frente a su sobrina encima de la mesa y frunció el ceño. Rosemary se sirvió otra taza de café y se sentó frente a la joven.

–Madre mía, hoy estás muy guapa, querida. Me recuerdas a mí misma cuando era una jovencita. De hecho, nosotras dos tuvimos muchos pretendientes. Recuerdo una vez que...

–Calla, Rosemary –dijo Wilhemina bruscamente–. No marees a la niña.

Amelia sonrió. Tenía veintinueve años y su tía seguía llamándola «niña».

–Estoy segura de que tenéis muchas historias que contar –dijo Amelia con una sonrisa picarona.

De pronto y por un instante, el rostro de Wilhemina se iluminó con una ligera sonrisa.

–Willy, ¿te acuerdas de Homer Ledbetter? –dijo su hermana–. Estaba muy enamorado de ti cuando tú tenías...

–¡Oh, sí! Recuerdo a Homer muy bien –empezó a decir Wilhemina poniéndose otra vez muy seria–. Se llevó a Sissy Manion al picnic de la escuela en vez de a mí. Nunca se lo perdoné, después de todo lo que me prometió. Que te sirva esto de lección, Amelia. No se puede confiar en los hombres.

–Bueno, Homer Ledbetter nunca fue un hombre –dijo Rosemary–. Además, todo el mundo sabía por qué eligió a Sissy... ella solía hacerle a los chicos...

–¡Rosemary!

Amelia sonrió mientras masticaba el último bocado de sus huevos revueltos.

–Tengo que irme –dijo la joven terminándose su zumo de naranja–. Que paséis un buen día. Hasta esta noche.

–De todos modos –continuó diciendo Rosemary como si no la hubieran interrumpido–, si no hubieses sido tan cabezota, estoy segura de que te hubiera pedido salir en otra ocasión.

–Quizá, pero yo ya no quería salir con él.

Aquello fue lo último que escuchó Amelia antes de salir por la puerta. Se montó en el viejo Chrysler y, después de un par de intentos, consiguió arrancarlo. Deseaba que llegase el día en el que se pudiese montar en un coche nuevo, un coche que la llevase más allá de la Biblioteca Municipal de Tulip.

Tyler cambió de marcha según entraba en la ciudad. Redujo la velocidad de su camioneta hasta que llegó al límite permitido indicado en las señales de tráfico, treinta y cinco millas por hora. El viento entraba por las ventanillas abiertas, refrescando su piel sudorosa por el calor. La lluvia del día anterior había sido un alivio para todos, pero continuaban con un tiempo muy caluroso. Miró su reloj y tomó una rápida decisión. Era cerca de mediodía y aún no había ido a ver su cosecha. Tomaría un almuerzo rápido en el Sherry Steak and Soup y luego iría.

Amelia se cambió el teléfono de oreja mientras se echaba encima del mostrador de la biblioteca para darle la vuelta al cartel de «Cerrado» que había en la puerta.

—No, tía Willy, acabo de cerrar. Y ha sido mi culpa, no la tuya. Yo he olvidado mi comida esta mañana, no te preocupes, no me pasará nada. Me acercaré a Sherry Steak and Soup y me tomaré una ensalada –dijo mientras suspiraba y miraba hacia arriba–. No te preocupes, estaré bien.

Jenny Michael se quitó el lápiz que tenía sobre la oreja y se cambió de lado el chicle que tenía en la boca.

–¡Hola, Tyler! No te veo desde hace más de un mes. Siéntate donde quieras, estoy contigo en un momento.

–Simplemente tráeme pollo asado con patatas –dijo él.

–¡Una de pollo con patatas! –gritó la camarera en dirección a la cocina.

Amelia entró en el restaurante y se sentó en al barra justo donde la camarera estaba recogiendo un plato con comida.

–¡Hola, Amelia! Será mejor que me digas lo que quieres antes de que el cocinero se líe con tantos pedidos.

–Una ensalada –contestó ella–. Y no olvides que...

Jenny sonrió.

–Lo sé, lo sé, quieres el huevo cocido cortado en cuatro, sin jamón, con pollo y con mayonesa baja en calorías.

Amelia frunció el ceño.

–¿De verdad que soy tan cuadriculada?

–No lo sé –dijo Jenny, y guiñando un ojo añadió–: ¿Tú crees que lo eres?

–Limítate a traerme la ensalada –contestó Amelia bromeando–, y guarda tus comentarios de sicoanalista de diván para alguien que los necesite.

Jenny se echó un poco hacia delante.

–Hablando de divanes... ahí hay alguien a quien me gustaría tumbar en uno.

Amelia giró los ojos en la dirección que le estaba indicando el lápiz de Jenny. Casi se cayó del taburete cuando vio a Tyler Savage mirándolas fijamente desde el otro lado del restaurante.

¡Madre mía! Ahí estaba él. ¿Qué pasaría si él...? Amelia se recordó a sí misma que no tenía que preocuparse, que él no sabía nada de la conexión entre Amelia y Amber.

Tyler se acomodó en su asiento, incómodo bajo la fuerza de la mirada de las chicas. Estaba muy claro que estaban hablando de él. Conocía perfectamente a Jenny, pero no podía reconocer a la otra chica apoyada sobre la barra. Le era familiar, pero no era exactamente su tipo. Llevaba el pelo recogido en un moño tirante encima de la cabeza, sus gafas estaban totalmente pasadas de moda y no llevaba nada de maquillaje. Sin hablar del vestido... ese tipo de ropa solía usarla su madre.

Amelia se dio la vuelta rápidamente al notar que Tyler las estaba mirando.

–Creo que se ha dado cuenta de que estamos hablando de él –dijo la camarera.

–Tendría que estar ciego para no darse cuenta, lo estás señalando con el lápiz.

Jenny se encogió de hombros y se dispuso a

seguir trabajando. Recogió el pedido de Tyler y se lo acercó a su mesa. Él sonrió a la camarera al ver su comida. Desprendía un olor muy tentador, al igual que su cita de aquella noche. Estaba impaciente por recoger a Amber en Savannah para salir con ella..

–¿Necesitas algo más? –preguntó Jenny haciendo una mueca–. Puedes pedirme cualquier cosa.

Tyler sonrió divertido. Sabía que Jenny estaba flirteando con él, pero no le importaba, porque lo hacía de forma muy inocente.

–De momento no, pero si necesito algo, tú serás la primera en saberlo.

Jenny le devolvió la sonrisa y siguió sirviendo en otras mesas. Tyler empezó a comer. Jenny era un encanto, pero definitivamente no se podía comparar a Amber Champion, ni en sus largas piernas, ni en sus ojos verdes, ¿o eran azules? Bueno, eso no importaba, porque estaba seguro de que después de su cita de aquella noche, sabría mucho más de Amber que el color de sus ojos.

Capítulo Tres

No había sido nada fácil elegir un vestido para su cita con Tyler, porque la dependienta no había dejado de mirar la ropa que Amelia se había estado probando. No tenía nada que ver con las sencillas blusas y faldas que ella solía comprar, pero Tyler había pedido salir a Amber, no a la conservadora Amelia.

Se estaba mirando en el espejo de su cuarto. Estaba satisfecha con el vestido que se había comprado, le sentaba muy bien. Era de manga corta, con un escote generoso pero poco revelador, y con la longitud perfecta, justo por encima de las rodillas. Era rojo y apretado, nada que Amelia Beauchamp se hubiera atrevido a ponerse, pero se lo había comprado a Amber para su cita con Tyler Savage.

Salir de su casa vestida de aquella manera hubiera sido muy difícil, pero tenía un plan. Podría peinarse y maquillarse en el coche de Raelene de camino a Savannah, como hacía todas las noches que iba a trabajar al club, y se pondría una gabardina encima de su vestido rojo.

Amelia respiró aliviada cuando supo que sus tías ya se habían acostado. Se miró por última vez en el espejo, se echó un poco de perfume y deseó que la noche fuese de ensueño; por fin iba a protagonizar un romance como el de sus novelas. Cuando se puso la gabardina, frunció el ceño al darse cuenta de que le asomaba por debajo al menos un palmo de vestido rojo. Tomó sus zapatos de tacón alto, salió de su habitación y bajó las escaleras. Una vez fuera, en el porche, se los puso y empezó a andar apresuradamente.

Effie Dettenberg estaba de pie frente a la puerta de su casa. Estaba muy nerviosa. Maurice todavía no había llegado. Ya era muy tarde y no sabía qué hacer. Si llamaba a la policía, los agentes se enfadarían como la última vez, pero una mujer tenía sus derechos, para eso pagaba sus impuestos. Si tenía una emergencia, la policía tenía la obligación de ayudarla. Pero ellos no consideraban que cazar al gato de la señora Effie fuese una emergencia, especialmente durante los meses de primavera y verano. Le habían intentado explicar, de la mejor manera posible, que en aquellos meses las gatas estaban en celo.

–Gatito, gatito, ven gatito.

La anciana se detuvo en seco cuando, al alzar la vista, vio al otro lado de la calle a Amelia Beauchamp, que salía descalza de su casa. El corazón de la señora Effie empezó a latir aceleradamente al ver el extraño comportamiento de la joven. Amelia se puso los zapatos, miró a ambos lados de la calle y se dirigió al callejón que había detrás de la residencia de los Beauchamp. Effie sofocó un grito y se introdujo rápidamente en su casa.

Amelia, sin saber que la estaban observando, se dio prisa en llegar hasta el coche de su amiga. Mientras tanto, la anciana Effie estaba ajustando sus prismáticos junto a la ventana abierta de su dormitorio. Pudo ver el traje rojo asomar por debajo de la gabardina. ¡Era tan ceñido que la chica casi no podía ni andar! También vio cómo se introducía en un coche, pero Effie se mordió el labio inferior, llena de frustración, cuando un magnolio se interpuso en su campo de visión.

–¡Diablos! –exclamó mientras intentaba desesperadamente volver a enfocar a la joven, pero ya era demasiado tarde. Había desaparecido entre las calles–. No me creo lo que acabo de ver. Si no lo hubiera visto con mis propios ojos, nunca lo hubiera creído.

Se había olvidado de Maurice cuando se sentó en la esquina de su cama dándose cuenta del hecho de que acababa de ver a Amelia Beauchamp, con un ceñido vestido rojo, cubierta con una gabardina increíblemente sospechosa teniendo en cuenta la temperatura y la época del año en la que estaban, introduciéndose en un coche. Y lo que era todavía peor, con la loca de Raelene Stringer al volante.

De momento guardaría silencio. Amelia era una buena chica, muy responsable y muy buena bibliotecaria. Siempre le reservaba los mejores libros de manualidades. Pero no conocía nada sobre la vida de la chica antes de venir a vivir con sus tías. Sabía que había estado en el extranjero, en países lejanos y exóticos. «¿Quién sabe lo que aprendería por ahí?», pensó la anciana.

Tyler se volvió a mirar en el retrovisor para comprobar su aspecto. Nunca había estado tan nervioso antes de una cita. Ahí estaba él, todo un hombre y con el estómago encogido por culpa de una chica. En aquel momento, el coche de Raelene Stringer aparcaba justo detrás de él. Ya había llegado. Se abrió la puerta y Amelia salió del sucio Chevy gris como una mariposa salía de su capullo. Se quedó boquiabierto y pidió a Dios ayuda al verla tan espectacular. Nunca antes había visto a una mujer que le quedase tan bien un traje tan ajustado. Sintió una mezcla de orgullo y de celos porque otros hombres la pudieran ver. Respiró profundamente antes de salir de su camioneta y acercarse hasta ella.

Raelene sonrió al ver sus caras. Era mejor que ver una telenovela.

—Amber, ya sabes a la hora a la que me voy a casa. Si quieres que te lleve, no llegues tarde —dijo antes de desaparecer dentro del club.

Tyler no podía dejar de mirarla.

—Estás preciosa.

«Tú también», pensó ella.

–Gracias –contestó Amelia finalmente.

Él no tenía nada que ver con el hombre que había visto en vaqueros a la hora del almuerzo. Sus pantalones grises se apretaban contra sus musculosas piernas, su camiseta, de un blanco reluciente, dibujaba un torso de ensueño y su cara angulosa estaba enmarcada por un pelo denso y negro. En aquel momento, una suave brisa despeinó ligeramente el cabello de Amelia y la mano bronceada de Tyler retiró un mechón de sus labios.

–¿Dónde quieres llevarme? –preguntó ella.

«A la cama», pensó él.

–Es una sorpresa –contestó Tyler.

Amelia sonrió.

–¡Me encantan las sorpresas!

–Entonces, ven conmigo, preciosa, tu limusina te espera.

–Más bien parece una camioneta –bromeó Amelia.

–Las apariencias siempre engañan –contestó él guiñándole un ojo.

Volvió a sonreír mientras se acomodaba en el asiento del copiloto. «No lo sabes tú bien», pensó ella.

Aquella noche iba a ser muy extraña para él. No sabía nada sobre ella, excepto su nombre y dónde trabajaba. Cuando llegaron a su destino, la tomó de la mano para conducirla hasta la ribera del río Savannah iluminada por las luces de los numerosos y animados clubes nocturnos que allí había. Entrelazando los dedos entre los de ella, Tyler señaló el lugar donde los barcos estaban amarrados.

–Cuidado, el suelo no es muy estable.

Siempre y cuando fuera de su mano, a Amelia le daba igual que el suelo estuviese cubierto de brasas incandescentes. Alzó la vista.

–¡Madre mía, Tyler!

Ante ellos flotaba el Savannah River Queen, un enorme barco de vapor. Tiras de lucecitas adornaban aquella preciosidad de popa a proa.

–Si prefieres hacer otra cosa... –empezó a decir él, pero un apretón en su antebrazo le indicó que ella estaba encantada.

–¡Nunca me he montado en un barco! –la ilusión en su voz hizo sonreír a Tyler.

El silbato del barco los hizo correr. Se apresuraron hacia la cola de gente para cruzar la pasarela y pronto estuvieron a bordo. Se apoyaron en la barandilla de cubierta junto con los otros pasajeros, mientras los marineros soltaban amarras, y poco a poco se alejaban del embarcadero.

Unos largos y masculinos brazos le rodearon los hombros en el momento en el que ella sintió un escalofrío.

–¿Tienes frío? –le susurró él en el cuello.

No había sido el frío lo que la había hecho temblar, había sido la sensación, como si de una bola de fuego se tratase, de sentir su cuerpo contra el de ella.

Amelia negó con la cabeza. En aquel momento

le era imposible articular ninguna palabra. La multitud de pasajeros pronto se dispersó de la cubierta, dejándolos solos bajo la oscuridad de la noche. Tyler no quería moverse; a su parecer, aquella esquina apartada al final del barco, entre sombras, era perfecta. Se balanceaban por el suave movimiento de las aguas, se podía escuchar el susurro del motor del barco mezclado con el sonido del agua chocando contra el casco de la embarcación. Amelia estaba embriagada por la magia de la noche. Tyler la miró emocionado, se colocó frente a ella, suspiró y recorrió con las manos sus brazos; luego le acarició el cuello y pasó los dedos entre su pelo sedoso. Un barco pasó junto a ellos y el vaivén de las olas los zarandeó levemente.

Sin darse cuenta, Amelia se encontró entre sus brazos. Pudo escuchar un gemido, sin estar segura de quién de los dos lo había emitido, y entonces, sin darle tiempo a pensar, Tyler cubrió su boca, tomando lo que quería. Ella se adaptó a sus demandas. Pudo oler la intensidad de su colonia y sintió cómo el contorno de aquel cuerpo masculino empezaba a cambiar. Excitada y un tanto avergonzada, se separó ligeramente de él.

–No te voy a pedir perdón –la avisó Tyler.

Amelia alzó la mirada. El color azul verdoso de sus ojos se trasformó en un verde jade. Respiraba entrecortadamente, desesperada por mantener el control. Finalmente logró sonreír.

–Será mejor que no lo hagas –dijo intentando

disimular una risita nerviosa–. ¿Y ahora qué? ¿Tengo que tirarme al agua o tienes algo más seco en mente?

Tyler soltó una carcajada.

–¡Dios! No solamente eres guapa, sino que también eres ingeniosa. ¿Cómo demonios voy a ser capaz de luchar contra este sentimiento que tengo hacia ti, Amber? Contra el amor.

¡Amor! La sonrisa de Amelia se perdió entre las sombras.

–¿Por qué, señor Savage? Se supone que no tienes que luchar contra él, se supone que tienes que disfrutarlo.

Con una sonrisa burlona, Tyler la condujo al interior del barco. Había luces, mucha gente y bebidas, y esperó que se le apagara el fuego que ella había encendido en su cintura.

Tyler se resistía a dejarla marchar una vez que volvieron al aparcamiento del Old South.

–Deja que sea yo quien te lleve a casa –suplicó apagando el motor de su camioneta.

La expresión en los ojos de Amelia era casi de pánico.

–¡No! Ya te lo he dicho, eso no es posible. Además, le he prometido a Raelene que volvería a casa con ella.

–Si me has contado la verdad al decirme que estabas soltera, ¿por qué diablos tienes tanto miedo a que sepa dónde vives?

Ella carraspeó.

–¿Qué clase de persona te crees que soy? Nunca engañaría a mi marido o al hombre que quiero –dijo enfadada–. Te lo voy a decir por última vez; no estoy, ni nunca he estado casada.

–¡Diablos, Amber! Simplemente no quiero que esta noche termine, y si te llevo a casa estaré un rato más contigo, eso es todo.

–Estaré aquí mañana –le recordó ella, y entonces suspiró al mirar su reloj–; mejor dicho, volveré aquí más tarde.

Tyler vio lo seria que ella se había puesto. Hacía solo un momento que había estado sonriendo. Él había roto el encanto de aquella cita con sus celos y sus desconfianzas. Era obvio que Amber tenía sus secretos. Quizá cuando se conociesen un poco más los compartiría con él... al fin y al cabo aquella había sido solamente su primera cita.

–Ahí viene tu amiga –dijo suspirando.

Raelene salía por la puerta del club, saludando y sonriendo mientras se acercaba a ellos.

–Será mejor que me vaya –dijo Amelia.

Él tomó su mano y le dio un último apretón.

–Lo siento –susurró.

–No tienes por qué sentir nada, soy yo la que tiene la culpa.

–Esta noche ha sido maravillosa –dijo Tyler–. Gracias por haber aceptado a salir conmigo.

Ella notó que el corazón se le paraba.

–No he podido remediarlo, insististe tanto y... –salió del coche, pero se asomó por la ventanilla

44

abierta–, eres tan sexy que no me pude resistir, Tyler Savage, ¿qué quieres? Soy una mujer.

Deslumbrado por sus palabras, Tyler la vio alejarse mientras se reía.

Recordando los detalles de la velada, Tyler tardó el doble de lo normal en llegar hasta su casa. Se pasó la entrada de Tulip y dos veces la desviación de su granja, pero finalmente llegó a su casa sano y salvo. Incluso en la oscuridad, a cientos de millas de ella, aún podía oler su perfume, oír su risa y notar su sedoso traje rojo entres sus manos.

Entró en su casa. Estaba silenciosa, oscura y vacía. Por primera vez, en mucho tiempo, se sintió solo.

Maurice, el gato de la señora Effie, se paró frente a la puerta justo en el momento en que Raelene dejaba a Amelia en la esquina de la calle de su casa. Effie escuchó el inconfundible ruido del motor de aquel coche y frunció el ceño mientras ahuecaba su almohada intentando encontrar una buena postura; a su edad aquello cada vez era más difícil. Escuchó el maullido desesperando de su gato al encontrarse la puerta cerrada. Se levantó de la cama y bajó las escaleras todo lo rápido que sus huesos la permitieron. Abrió la puerta y tomó al viejo gato entre sus brazos.

–Maurice, eres un gato malo, ¿dónde has estado?

La visión de Amelia corriendo por la calle hizo que Effie apretase al gato contra su pecho. No se perdió ni un detalle de aquel vestido rojo y ceñido, de la gabardina que llevaba doblada en el brazo, ni de los zapatos de tacón alto que tenía en la mano.

La joven entró corriendo en su casa y se metió en la cama, aliviada. Había merecido la pena arriesgarse de aquella manera por haber vivido un sueño. Se abrazó a la almohada y cerró los ojos. Amelia había visto el Cielo a través de los ojos de Amber. Escuchó un ruido y sonrió. Su tía Willy se moriría si supiese que roncaba.

—¡Amelia! —exclamó Wilhemina.

Aquel grito asustó tanto a Rosemary que se le cayó la taza de café encima del mantel de damasco que había sobre la mesa.

Rosemary soltó un gruñido.

—Mira, Willy. Casi se me sale el corazón por la boca del susto que me has dado, y mira lo que ha pasado.

—A tu edad, eso es muy peligroso.

Amelia se dispuso a ayudar a su tía a limpiar el mantel.

—No creo que insultarme a estas horas de la mañana sea correcto —dijo Rosemary muy enfada por el comentario de su hermana.

—Déjalo, tía. Yo lo haré —dijo Amelia cariñosamente.

Rosemary le sonrió con dulzura.

46

–¡Cielos! Creo que nunca te he visto tan... no sé –dijo suspirando Rosemary–. No sabría cómo explicarlo.

Pero Wilhemina sabía lo que quería decir su hermana. La palabra era «radiante». Y ella no pensaba que aquello fuera muy correcto en una chica formal.

–Amelia Ann, ¿qué te has hecho?

Amelia movió la cabeza y notó cómo su melena se movía sobre sus hombros. Llevaba el pelo suelto en vez de llevarlo recogido en un nítido moño como era habitual en ella. Empezó a untar mantequilla en un panecillo y pretendió no mostrar mucho interés en lo que le había dicho su tía.

–He leído en una revista que la gente que tiene la melena tan larga sufre a menudo de dolor de cabeza y de cuello debido al peso del pelo, con lo cual pensé que no me lo iba a recoger durante un par de días a ver qué pasaba.

Wilhemina frunció el ceño. Los ojos de Rosemary se abrieron expectantes esperando la respuesta de su hermana. Amelia continuó hablando ignorando las caras de sorpresa de sus tías, aunque en realidad le había costado más de un cuarto de hora reunir el valor necesario para presentarse así ante ellas.

–Como os decía, ya sabéis con cuanta frecuencia tengo dolores de cabeza y como no creo que queráis que me corte el pelo...

–Lees demasiadas novelas basura, eso es lo que te pasa –la acusó Wilhemina.

Amelia volvió a ignorarla.

–Me lo he retirado de la cara, no creo que se me meta en los ojos, ¿tú qué crees, tía Willy? Además, así podré usar el pasador que me regalaste por mi vigesimo quinto cumpleaños. Si no recuerdo mal, me dijiste que perteneció a tú madre.

Wilhemina resopló.

–Lo que quiero saber es dónde te has comprado ese vestido.

Amelia se miró haciéndose la sorprendida. Sabía que aquel color no iba a ser del agrado de su tía, pero ya tenía preparada una respuesta.

–¡Ah, esto! ¿Recuerdas que el otro día me dijiste que necesitaba ropa nueva? Me lo he comprado en las rebajas. Me he ahorrado veinte dólares...

Wilhemina volvió a fruncir el ceño.

–A mí me encanta el color –apuntó Rosemary–. ¿Crees que tendrían uno en mi talla?

–Tú no llevas ese tipo de estampados –la regañó Wilhemina–. Siempre llevas colores pastel.

–Solamente porque siempre eres tú quien elige mi ropa –dijo Rosemary subiendo la voz una octava y, señalando al vestido de Amelia añadió–: Me gusta el suyo, es más, lo prefiero al viejo rosa claro de siempre.

Amelia suspiró. Sabía que aquella ropa traería problemas, pero no se imaginó que causaría una pelea entre sus tías.

–Lo comprobaré a la hora de la comida, tía Rosie –se ofreció Amelia–. Pero no estoy segura de que estos colores tan fuertes favorezcan a tu delicada piel. Quizá en colores más apagados, ¿qué opinas?

–Mamá siempre decía que yo era delicada –contestó Rosemary positivamente.

–¡Por favor! –exclamó Wilhemina con desdén–. Nunca has sido delicada, perezosa quizá, pero nunca delicada.

Amelia se inclinó, besó a sus tías en las mejillas a modo de despedida y se fue. Momentos después estaba al volante de su viejo Chrysler. La Biblioteca Municipal de Tulip la esperaba.

Capítulo Cuatro

–Daos prisa –las llamó Amelia–. Llegaremos tarde a la iglesia.

Sus tías bajaron apresuradas las escaleras. Desprendían un olor a lavanda y a rosas, ambas llevaban en las manos una Biblia y estaban perfectamente peinadas.

–¿Tienes tu Biblia? –preguntó Wilhemina.

–Sí, tía –contestó Amelia señalando la mesa de la entrada, donde estaba la Biblia y su bolso–. Venga, tía Rosie, no quiero llegar tarde como el domingo pasado. Todo el mundo estaba cantando cuando llegamos a nuestro banco.

El banco de los Beauchamp en la iglesia era el segundo, mirando al altar, de la parte izquierda. Y así lo había sido desde mil ochocientos noventa y nueve.

–No encuentro mi sombrero –murmuró Rosemary–. Lo tenía el otro día, me pregunto si me lo habré dejado en...

–Está en la cocina, encima del aparador –dijo Wilhemina con un prolongado suspiro–. Me lo encontré ayer por la tarde en el porche. Te prometo, hermana, que no sé qué sería de ti con un cerebro.

Amelia fue a por el sombrero, se lo colocó a su tía y le abrochó debidamente los tres primeros botones de la blusa. Luego, la apartó un poco para verla bien, sonrió a la pequeña mujer cariñosamente y le colgó el bolso en el brazo. Durante los últimos tres años, Rosemary Beauchamp cada vez estaba más olvidadiza. Amelia no quería pensar en las implicaciones de un comportamiento semejante; por el momento, lo único que la preocupaba era llegar a tiempo a la iglesia.

–Os espero en el coche –anunció Wilhemina.

–Yo conduciré –dijo Rosemary mientras se colocaba un mechón de pelo bajo el sombrero.

Amelia intentó no darle importancia a aquella sugerencia.

–¿Por qué no me dejas hacerlo a mí, tía? –dijo Amelia muy natural mientras recogía la Biblia y el bolso–. Tenemos mucha prisa, ¿no crees?

Ignorando completamente el hecho de que no había conducido en los últimos quince años, Rosemary lo consideró un momento y finalmente accedió.

–Supongo que tienes razón, querida.

Para la tranquilidad de Amelia, la anciana se metió en el coche. Cuando llegaron al aparcamiento de la iglesia pudieron escuchar el órgano. Effie Dettenberg lo tocaba estupendamente. Effie podía ser la cotilla oficial de la ciudad, pero también era la organista oficial de la iglesia. Amelia ayudó a sus tías a subir lentamente los escalones de la entrada y, colocando las manos en sus codos huesudos, las encaminó hasta la puerta.

–He olvidado mi Biblia, vuelvo en un momento –dijo Rosemary justo antes de entrar.

–¡Oh, Dios! –exclamó Amelia desesperada por lo tarde que era–. Yo iré, tía Rosie.

–¡Amelia!, es domingo. No digas el nombre de Dios en vano –la reprendió Wilhemina.

Amelia sonrió pidiendo perdón, se dio la vuelta rápidamente en dirección al coche y chocó de frente contra una familiar pared musculosa. Unas manos fuertes la sujetaron impidiendo que se cayera al suelo al tiempo que ella balbucía un «gracias» ininteligible. Intentó no perder el control. ¡Era Tyler! También había ido a la iglesia.

–Buenos días, Tyler Dean –dijo Rosemary–. ¿Qué tal están tu papá y tu mamá en Florida? Estoy pensando en ir a visitarlos.

Amelia no pudo escuchar la respuesta porque descendió los escalones a toda prisa en dirección al coche, pero Tyler se dio la vuelta y la vio correr. Se preguntó por qué nunca se había fijado en las piernas tan largas y en la estilizada figura de la sobrina de las Beauchamp. Amelia regresó, pero sin correr. No porque no tuviera prisa o porque se hubiera quedado sin aliento, sino por el hecho de que Tyler Dean Savage estaba de pie, en lo alto de la escalinata, entre sus dos tías, mirándola con aquellos ojos azul cristalino, sin perderse ni un solo detalle de sus movimientos.

–Señorita Beauchamp –dijo él cordialmente, sonriendo al ver que Amelia bajaba la cabeza cuando pasó por su lado y preguntándose por qué se echaría el pelo sobre la cara.

–Señor Savage –contestó Amelia.

Afortunadamente tía Willy tenía mucha prisa por entrar, además, no tenía ninguna intención de mantener una conversación con aquel mujeriego, no quería manchar su reputación a aquellas alturas.

Cuando Amelia se sentó en el banco de la iglesia, respiró relajada y agradecida por haber pasado inadvertida. Pero no tardó mucho en darse cuenta de que Tyler no dejaba de mirarla. Un par de veces, durante el sermón, ella giró la cabeza y se encontró aquellos dos ojos azules mirándola fijamente. Contuvo la respiración, cerró los ojos y se puso a rezar fervientemente. Cuando volvió a girar la cabeza, Tyler estaba mirando hacia otro lado.

–Gracias, Dios mío –susurró Amelia.

–Eso está muy bien –contestó Rosemary dando unas palmaditas en las rodillas de su sobrina.

–¿El qué? –preguntó ella.

–Darle las gracias al Señor –dijo la anciana con una sonrisa, aunque se le borró de la cara cuando vio la cara de su hermana Wilhemina.

–¡Silencio! –susurró, enfadada.

En la parte de atrás, Tyler tenía una vista muy buena del banco de los Beauchamp y de la joven sobrina también. Había algo en esa chica... algo familiar en ella.

«¡Dios mío! Me recuerda a Amber», pensó él mientras gotas de sudor empezaron a brotar en su espalda. Cerró los ojos y tomó aire. La iglesia no era el sitio más apropiado para pensar en mujeres. Además, se estaba volviendo loco, era imposible que se pareciesen, eran diametralmente opuestas.

Desde que estuvo tan cerca del desastre, el domingo en la iglesia, Amelia había estado de muy mal humor. Sus tías se habían dado perfecta cuenta de ello, pero no sabían qué le ocurría a su querida sobrina. Habían intentado animarla, incluso Wilhemina estaba lo suficientemente preocupada como para haberse aventurado y haberle regalado un par de sonrisas extras. Amelia se había pasado dos noches llorando. Se había dado cuenta de que continuar viendo a Tyler era imposible y que tenía que terminar con su segunda vida.

–¿Has terminado con la lista de la compra? –preguntó Amelia a su tía Wilhemina.

La anciana asintió con la cabeza y le alcanzó a su sobrina un trozo de papel.

–Sí, esto es todo lo que necesitamos, pero si ves algo que te apetezca cómpralo también. Quizá algún chocolate, helado o galletas.

Consciente de que el propósito de su tía era agradar, Amelia le sonrió. Según iban pasando los días, las ancianas se iban entristeciendo cada vez más al verla así. Amelia se sentía culpable por causarles dolor. Se acercó a ella, la abrazó y la besó tiernamente en la mejilla.

–Tía Willy. Te quiero mucho –dijo Amelia–. Y estoy bien, no necesito un helado, ni galletas, simplemente necesito un abrazo.

Wilhemina le devolvió el abrazo y la miró con culpabilidad.

–Ya sé que nosotras no siempre somos tan cariñosas como tú, pero...

–No digas nada –dijo Amelia–. Sois perfectas, no quiero que tú o tía Rosie cambiéis ni lo más mínimo, os quiero tal y como sois.

Un poco emocionada por tanta muestra de afecto, Wilhemina sonrió.

–No hace falta que vayas ahora a comprar, no necesitaré nada hasta esta noche.

–Está bien –dijo Amelia–, pero iré ahora. Hasta luego.

Amelia salió de la casa con el firme propósito de animarse. Su actitud estaba influyendo negativamente en la vida de sus queridas tías. No era justo entristecerlas por culpa de sus problemas.

Effie Dettenberg estaba leyendo detenidamente las etiquetas de dos paquetes de galletas similares. Una de ellas era baja en calorías y la otra era sin colesterol.

–En mis tiempos no nos preocupábamos sobre estas cosas –dijo ella a nadie en particular, simplemente en alto–. Las haré yo misma, así sabré lo que tienen.

Los ojos de la señora Effie se entrecerraron cuando vieron una silueta familiar andando al final del pasillo del supermercado. No había ninguna duda, se trataba de Amelia Beauchamp, simplemente que en aquel momento no llevaba ningún vestido rojo ajustado ni el pelo suelto. Se acercó a ella.

–Hola, Amelia.

–Hola, señora Effie –contestó sin apartar la vista de su lista de la compra.

A la anciana no le gustaba perder el tiempo con palabrería innecesaria, le gustaba ir directa al grano.

–Amelia, sé que esto no es de mi incumbencia...

La joven levantó la mirada.

–Pero juraría –continuó diciendo la señora Effie–, que te he visto andando por el callejón la otra noche. Me siento en la obligación de decirte que no es seguro para una señorita como tú el...

Amelia sintió que toda la sangre de su cuerpo descendía hasta sus pies. Todos los miedos que había sentido desde que comenzó su doble vida aparecieron de golpe. De todas las personas que podían descubrirla, había tenido que ser la peor.

Su voz fue calmada, aunque su corazón latía descontroladamente.

–Mmm... ¿Está segura de que se trataba de mí?

Effie frunció el ceño.

–Bueno, todo lo segura que puede estar una. El magnolio del señor Williams no me impidió ver de quién era exactamente el coche en el que te subiste. Juraría que se trataba de esa mujer, Stringer, ya sabes, esa que...

¡Oh, señor! Estaba muerta. Si había visto a Raelene significaba que había estado usando los prismáticos.

–No sé qué puede hacerle pensar que se trataba de mí –dijo Amelia brevemente.

«Posiblemente que vi perfectamente que salías de tu casa», pensó Effie, pero no lo dijo en alto.

Amelia volvió a mirar a su lista y pretendiendo que estaba muy ocupada añadió:

–Ha sido estupendo volverla a ver, señora Effie, pero tengo que terminar mis compras; mi tía me está esperando.

Se dio la vuelta y se tapó la cara con el trozo de papel.

–Bueno –murmuró con desdén la señora Effie–. No soy tonta y sé cuándo la gente miente.

Amelia tragó saliva e intentó ignorarla, hizo sus recados a toda prisa y salió apresuradamente del supermercado. Al ir cargada con las bolsas no vio al hombre que entraba en aquel mismo momento y chocó contra él. Se le cayó al suelo todo lo que llevaba en las manos, además de sus gafas y la gorra de él. Miró horrorizada cómo sus gafas habían caído justo encima de los huevos, que por supuesto, se habían roto.

–¡Diablos! –murmuró ella comprobando cómo el zumo de naranja había manchado las botas del hombre, por no decir lo que le había pasado a la falda de su mejor traje gris.

Tyler, que la había visto venir, la había identificado al instante.

–¡Cuidado! –había dicho antes de que ella chocara contra él.

Amelia se agachó para recoger la comida y se le soltó la coleta. Tyler, que intentaba ayudarla, se le enganchó el botón de su blusa en el pelo de ella, y cuanto más trataba de soltarse, más liado parecía el pelo. Un tanto avergonzado por la situación, él miró hacia abajo y olvidó lo que iba a decir. Aquel pelo era precioso... y de alguna manera familiar. Se trataba de una larga y sedosa melena de color castaño. Él respiró profundamente para concentrarse en liberar el botón; entonces ella alzó la mirada. Tyler se quedó completamente congelado, ¡esos ojos! Solamente había una mujer que los tuviera de aquel color azul verdoso: Amber.

Amelia miró hacia arriba y el pánico se apoderó de ella. ¡Tyler!

Horrorizada, empezó a recoger todo lo que había por el suelo al tiempo que se recogía el pelo a toda prisa. Fue incapaz de pronunciar ni una sola palabra. Mientras Tyler la miraba con la boca abierta, ella terminó y se fue corriendo hacia su coche. Se metió en él, encendió el motor y salió del aparcamiento del supermercado a toda velocidad. En lo único en que podía pensar era en alejarse de Tyler y en llegar a su casa con sus tías lo antes posible.

Tyler se quedó atónito en la puerta de la tienda. No sabía qué hacer, si quedarse allí o sentarse o correr tras ella.

–Bueno, bueno. Creo que te he encontrado, cariño. No sé a qué estás jugando, pero creo que el juego se ha terminado –susurró Tyler.

La palabra «intriga» no era suficiente para describir lo que él sentía. Por unos momentos se mantuvo en silencio, y luego soltó una ruidosa carcajada. Aunque había estado mucho tiempo bajo el sol, aún no se había vuelto loco. No se podía creer que se hubiera enamorado de la antigua y aburrida sobrina de las hermanas Beauchamp. Pero no se había enamorado de la rancia bibliotecaria, sino de la ardiente y divertida Amber.

–¿Qué diablos le pasa? –gruñó la señora Effie mientras pasaba al lado de Tyler, que se estaba riendo a carcajadas–. Una ya no está segura en ninguna parte.

Capítulo Cinco

Tyler estuvo pensando en su descubrimiento durante el resto del día. Hizo todo lo que pudo para esperar a que cayera la noche, porque cuando el sol se ponía, salía la luna, se hacía de noche y era cuando Amber salía de su escondite. O al menos, esa era su hipótesis. Solamente necesitaba ir una vez más al Old South y enfrentarse a Amber con un dilema que él sabía que ella sería incapaz de resolver; entonces él tendría la respuesta.

Empezó a afeitarse. Debía tener el mejor aspecto posible para que a Amber le resultase difícil decir que no. Se sonrió a sí mismo en el espejo mientras se echaba la loción de afeitado. Si ella era quien pensaba que era, no era todo lo que ella podría decir.

Se acercó hasta la cocina para recoger el regalo que había comprado. Abrió la nevera y sacó un enorme ramo de rosas rojas. Con ello en la mano salió y se montó en su camioneta. Con una sonrisa en los labios condujo camino a Savannah.

Amelia estaba enferma a causa de los nervios. Hacía días que no veía a Tyler, es decir, hacía días que Amber no lo había visto. Aún daba gracias al Cielo por que no la hubiera reconocido ni en la iglesia ni el supermercado. Estaba totalmente segura de que él no lo había hecho; si no hubiese sido así, se lo hubiera dicho.

Amelia estaba frunciendo el ceño mientras esperaba que el camarero le sirviese sus pedidos. Aún no había pensado qué iba a hacer respecto a la señora Effie. De todas las personas que pudiesen haberla visto, ella era la peor. Además, le había mentido y la anciana se había dado cuenta.

—Chica, ¿te importa mirar hacia allí? —dijo Raelene dándole un pellizco en la cintura para captar su atención.

—¿El qué? —preguntó Amelia mirando hacia donde su amiga le estaba señalando.

Entonces el hombre que estaba de pie en al puerta de local le cortó la respiración. Llevaba unos pantalones blancos y una camisa azul claro haciendo juego con sus ojos. Era alto, moreno e increíblemente atractivo. Llevaba un ramo de flores en la mano que probablemente eran para ella. Su corazón empezó a latir con fuerza. ¡Tyler!

—Venga, ve —le metió prisa Raelene—. Yo me ocuparé del resto tus mesas. Ve a ver qué es lo que quiere tu amorcito.

Amelia sonrió con burla y se dirigió hacia la mesa en la que Tyler se había sentado. Él se levantó cuando ella se acercó.

—Buenas noches, cariño —dijo él suavemente y

le dio un discreto pero inolvidable beso en la comisura de los labios.

–Buenas noches, Tyler –contestó ella, deseando que aún no le quedasen tres horas para terminar su turno.

Él sacó de debajo de la mesa las flores y se dio cuenta de que al dárselas a ella se le llenaban los ojos de lágrimas.

–¿Estás bien? –preguntó, preocupado ante aquella reacción.

–Estoy bien, simplemente es que nadie antes me había regalado flores.

–Pues deberían haberlo hecho –dijo él conduciéndola hasta la esquina, donde estaba la entrada de los aseos.

–Quiero ser especial para ti.

–¡Oh, Tyler! Ya lo eres. No sabes hasta qué punto.

«Bueno, cariño, a lo mejor lo sé», pensó él.

–Me alegra escucharlo –le susurró él en el cuello mientras deslizaba las manos por su cintura–. Ven aquí, necesito hacer algo.

La apretó contra él mientras sus labios la besaban, primero firmemente y luego con ternura. Empezó por las comisuras para luego, poco a poco, acariciar con la lengua el resto de sus labios. Amelia tembló cuando él se concentró en el interior de su boca y la empujó con suavidad contra la pared. Él se estaba volviendo loco y ella, cuando notó aquellas musculosas manos recorrer su cuerpo y la lengua acariciar sus labios, también. Tyler gimió de placer cuando

Amber soltó las flores y lo abrazó ardientemente correspondiéndole de la misma manera. En aquel momento él olvidó sus intenciones; lo único que deseaba era estar en cualquier otro sitio menos en aquella esquina oscura del Old South.

–Bueno, cariño –dijo Tyler suavemente–. No era mi intención ir tan lejos –entonces sonrió con picardía–. Por supuesto que espero llegar mucho más lejos, pero no en este lugar.

Amelia se sonrojó. Solamente hacía falta que aquel hombre cruzara el umbral de la puerta, para que ella olvidara el buen juicio adquirido después de más de veinte años de buenos consejos por parte de Wilhemina.

–Ten piedad, Tyler. Me estás volviendo loca.

Tyler tomó aire profundamente. Aquel era el momento para soltar su bomba. Odiaba tener que hacerlo, porque sabía que ella se iría, aunque fuese solamente de forma temporal. Él también se estaba volviendo loco. Si Amber era realmente Amelia, tenía que descubrirlo y entonces, y solo entonces, podrían estar juntos para siempre.

Él acercó los labios a su oreja.

–¿Amber?

–¿Mmm? –murmuró ella intentando concentrarse en lo que él estaba diciendo y no en lo que estaba haciendo.

–Sé que el Old South no está abierto el domingo por la mañana y tengo una idea.

Amelia se puso tensa. Aquello no tenía buena pinta.

–¿Qué te parece venir a la iglesia conmigo? –continuó diciendo él–. Quiero que conozcas a mis amigos y enseñarte dónde vivo, ¿qué te parece? Voy a la iglesia de Tulip y sé que te gustará. Después, podemos ir a mi casa y comer algo. Puedo enseñarte mi granja, mi cosecha y cualquier otra cosa que quieras ver.

Él sonrió esperando una respuesta. Pudo ver la sorpresa en su cara, el pánico en sus ojos.

Amelia se separó de la pared.

–Lo siento, Tyler, no puedo. Me encantaría, pero es que no puedo.

Él pretendió no entender la negativa.

–No veo por qué no, a menos que no hayas sido completamente honesta conmigo. Me dijiste que no había nadie más. Quizá me has mentido, Amber, ¿lo has hecho?

Ella sabía que algo así sucedería tarde o temprano. ¿Qué podría hacer? Si le contaba la verdad, no estaba segura de la reacción de Tyler al saber sobre su doble identidad, sobre todo teniendo en cuenta que durante el día ella era una aburrida bibliotecaria.

–No, no te estoy mintiendo –discutió ella–. Pero todavía hay algo sobre mi vida privada que tengo que solucionar. Cuando lo haga, tú serás el primero en saberlo, pero hasta entonces vas a tener que confiar en mí.

Tyler dio la espalda a Amber, intentando desesperadamente no sonreír. Ella estaba haciendo exactamente lo que él supuso que haría, así que estaba en lo cierto.

Bajando el tono de voz para parecer dolido y encogiéndose de hombros, Tyler dijo:

–No sé si podré, Amber. La confianza tiene dos caras, y yo confío en ti, pero obviamente tú no lo haces en mí o no lo suficiente como para explicarme tu situación. No creo que nuestra relación pueda continuar de esta manera.

Tyler empezó a alejarse de ella. Amelia estaba paralizada; estaba a punto de perder al único hombre que había querido en toda su vida. Él se había enamorado de alguien que no existía.

–¡Tyler! Espera.

Pero él se limitó a decir que no con la cabeza y siguió andando. Amelia se quedó totalmente desolada y apoyó la cabeza contra la pared. Raelene se acercó hasta ella.

–¿Estás bien?

Amelia se secó las lágrimas y sonrió tristemente. Tenía que trabajar el resto de la noche, podría llorar de vuelta a casa.

–Estoy bien –contestó Amelia.

Amelia se miró en el espejo. No sabía si dejarse el pelo suelto, como lo había hecho en los últimos días, o recogérselo. Sus ojerosos ojos la miraban acusadores por haber perdido al único hombre que realmente había querido en su vida. Amelia empezó a cepillarse el pelo y a recogérselo de la forma habitual.

–No lo entiendo, lo único que quería era comprarme un coche, no arruinar mi vida

–murmuró para sí. Solamente un milagro la salvaría de perder a Tyler.

–¡Amelia! –la llamó Wilhemina desde el pie de la escalera–. ¿Ya estás lista? Vas a llegar tarde.

Amelia suspiró. Todas las mañanas lo mismo: su tía insistía en meterle prisa cuando la realidad era que nunca, en su vida, había llegado tarde a la biblioteca.

–Ya voy –contestó Amelia abrochándose su aburrido vestido y bajando las escaleras.

–Aquí está tu comida –dijo Wilhemina dándole una bolsa de papel–. No te olvides de meterlo en la nevera cuando llegues a la biblioteca. Es un bocadillo de atún y podría ponerse malo.

–Sí, señora –contestó ella y saliendo por la puerta se detuvo y se dio la vuelta.

–¿Has olvidado algo?

–Sí –con un suspiro rodeó con sus brazos a su tía y la apretó en un afectuoso abrazo.

Wilhemina se quedó sorprendida, pero llena de emoción ante aquella muestra de cariño.

–Esta noche haré pastel de manzana, sé que te gusta mucho –dijo la anciana.

–Me encanta –contestó Amelia antes de irse definitivamente.

Rosemary entraba en aquel momento del jardín.

–He oído por la ventana que vas hacer pastel de manzana. Solamente lo haces en ocasiones especiales.

Wilhemina encogió los hombros.

–¿Y?

–¿He olvidado el cumpleaños de alguien? Hoy no es el Día de la Independencia, ¿verdad?

Wilhemina suspiró mirando al cielo mientras se disponía a seguir haciendo sus cosas.

Tyler entrecerró los ojos mientras veía a Amelia aparcar su viejo Chrysler cerca de la biblioteca. Al salir del coche, una ligera brisa levantó su falda y él sonrió al ver aquellas estupendas y estilizadas piernas. Estaba contento de ser el único hombre en todo Tulip que sabía los encantos que se escondían bajo aquellas aburridas ropas. Había estado esperando a que ella abriese la biblioteca. Quería hablar con la señorita Amelia Ann y estaba totalmente decidido a meterse bajo su piel con la misma destreza que lo había hecho con Amber. Esperó unos minutos y se dispuso a entrar. Quería ser el único cliente en la biblioteca, y cuando entró, respiró aliviado al comprobar que así era.

Cuando Amelia lo vio entrar no se lo podía creer. En todos los años en los que ella llevaba trabajando allí, ni una sola vez aquel hombre había pisado la biblioteca.

–Buenos días señorita Amelia –dijo él suavemente.

–Señor Savage.

Ella estaba muy seria; aún seguía enfadada con él por haberse ido de la manera en la que se fue la noche anterior en el Old South. Aunque, para ser justo, eso era problema de Amber, no de Amelia.

Él sonrió y se echó hacia delante hasta prácticamente tocar la nariz de Amelia con la suya. Ella se quedó tan sorprendida, por aquel inesperado comportamiento, que se quedó congelada en el sitio. Cuando notó su aliento sobre los labios, Amelia se echó para atrás confundida y se recolocó las gafas.

—¿Puedo hacer algo por ti? —preguntó ella y se llenó de ira cuando vio aquel brillo picarón en los ojos azules de Tyler.

—Podría decirse que sí —contestó él poniéndose derecho.

—Está bien, ¿en qué puedo ayudarte?

—Ayer por la noche, no pude dormir...

La cara de Amelia se quedó rígida.

—Y empecé a ver un programa en la televisión que normalmente no veo nunca —continuó diciendo él.

—¿Sí?

—Mencionaron un libro que parecía interesante, un libro que merecería la pena leer.

Amelia se sorprendió. Tyler era muchas cosas, pero nunca hubiera imaginado que fuera un apasionado de la lectura.

—Muy bien, Tyler —dijo ella—, ¿Cuál era el título?

Él miró al techo como si estuviera haciendo memoria.

—Mmm... creo que tenía algo que ver con el sexo.

Amelia intentó sofocar un grito.

–¿Perdón?

–Ahora lo recuerdo, creo que se llamaba *El placer del sexo*. Parece interesante, ¿verdad? ¿Lo has leído?

Tyler estaba disfrutando viendo cómo aquellos preciosos ojos verde azulados se llenaban de estupor. Incluso, debajo de aquellas feas gafas, podía verlos llenarse de preocupación... y de interés.

–No sé si lo tendré –murmuró Amelia y empezó a comprobarlo entre las fichas de los libros que tenía en un archivador, pero hubiera apostado todo el dinero que había hecho en el Old South que en las viejas estanterías de la biblioteca de Tulip, no había ningún libro semejante.

Amelia empezó a ponerse nerviosa al notar la mirada de Tyler sobre ella. Casi se desmayó cuando sintió aquella musculosa mano deslizarse sobre su pelo. Ella levantó los ojos y lo miró.

–Tenías una hoja en el pelo –explicó él.

Para el asombro de Amelia, Tyler le guiñó un ojo. ¿Cómo se atrevía a coquetear con ella cuando se suponía que salía con otra mujer, Amber? Aquel hombre era capaz de cualquier cosa.

Él se echó hacia delante de nuevo. Su voz no era más que un susurro.

–Entonces... ¿Lo tienes o no?

Amelia había olvidado lo que estaba haciendo.

–¿Tener qué?

–Ya sabes... *El placer del sexo.*

Ella se ruborizó furiosa.

–Todo lo que tenemos sobre el tema está allí, sígueme –murmuró entre dientes.

Mientras Amelia se dirigía hacia los pasillos de estanterías, Tyler hizo un rápido movimiento, sin que ella lo viera, y dio la vuelta al cartel de la puerta. En vez de poner «Abierto» ahora se leería desde fuera «Cerrado».

–Por aquí –volvió a decir ella.

–Ya voy –contestó él siguiéndola.

Amelia estaba sosteniendo dos libros con una mano, cuando él se acercó por detrás y la empujó con su cuerpo contra las estanterías. Se le erizaron los pelos de la nuca al notar su jadeante respiración contra ella. Cerró los ojos, estremeciéndose cuando él deslizó las manos por su cuello.

–¿Qué te crees que estás haciendo? –era una pregunta muy estúpida porque ella sabía perfectamente lo que él estaba haciendo; lo que no sabía era lo que ella iba a hacer al respecto.

–Tu piel es muy suave –susurró Tyler–. ¿Sabe tan bien como parece?

Ella parpadeó llena de pánico.

–¡Tyler Savage!

Fue lo único que pudo decir. La había ignorado durante toda la vida y en aquel momento hacía aquello. No lo podía entender y lo peor de todo, es que a ella le gustaba lo que estaba pasando.

–¿Cómo te atreves a estas familiaridades? –protestó con un susurro–. Apenas hemos hablado.

Con un suspiro, Tyler levantó la mano y le quitó el pasador de pelo.

–Lo sé, pero no ha sido culpa mía. Ni siquiera me miras cuando nos vemos en la calle.

–Aun así –contestó ella separándose de él.

Tyler se movió con rapidez y le bloqueó el paso, volvió a levantar el brazo y le quitó las gafas, que apoyó sobre una de las estanterías.

Amelia estaba horrorizada, él cada vez estaba más cerca.

–Estate quieto –susurró–, no tienes ningún...

La palabra «derecho» hubiera terminado su frase si él no hubiese tomado su cara entre las manos y la hubiera besado en la boca. Ella se entregó sin resistencia, estaba enamorada de aquel hombre. Entonces se acordó, ¿y Amber?

–¿Amelia? –susurró él entre sus labios.

–¿Qué? –dijo ella mientras Tyler la soltaba.

–¿Me harías el honor de salir conmigo a cenar esta noche? Me gustaría mucho tener la oportunidad de conocerte mejor, quizá termine gustándote un poco más, ¿qué opinas?

Tenía que trabajar aquella noche. No podía salir con él como Amber ni como Amelia, la vida no era justa con ella. Mientras intentaba matar el tiempo buscando una respuesta razonable, Amelia se recogió el pelo.

–No puedo, tengo que... quiero decir que ya he prometido a... –empezó a decir ella poniéndose las gafas.

—No importa, lo entiendo. No confías en mí y supongo que es culpa mía, pero puedo jurar que mi reputación está basada en rumores infundados. Nada de lo que dicen es verdad.

Amelia quiso gritarle. La noche anterior estaba abrazando a su querida Amber. ¿Cómo iba a confiar en aquel hombre?

—Pensé que tú tenías una novia en Savannah —lo acusó ella, y tragó nerviosamente al ver aquella mirada oscura en los ojos de Tyler. Hubiera jurado que apretó los labios.

—Yo también lo creía —contestó él con suavidad—. Pero ella obviamente no quiere nada conmigo. Supongo que no éramos el uno para el otro. Me parece que yo no era su tipo.

—¡Eso no es verdad! —gritó Amelia, e inmediatamente se detuvo—. Quiero decir... bueno... no sé lo que quiero decir, pero no puedo salir contigo esta noche y ya está. ¿Quieres estos libros o no?

Tyler estaba luchando contra sus instintos, que le decían que la tomase entre sus brazos hasta que le diera una explicación. Era más lista de lo que se imaginaba.

—Creo que no —contestó y se dirigió hasta la puerta—. No sé lo que quiero, Amelia. Es obvio que las mujeres que me atraen no sienten la misma atracción por mí. Creo que no debo insistir más.

—Simplemente porque no pueda salir contigo esta noche no significa que nunca pueda —dijo Amelia de repente.

Tyler se detuvo, pero no se dio la vuelta, no se atrevió. La sonrisa en su cara era demasiado grande. Se limitó a asentir con la cabeza y giró el picaporte de la puerta.

–Eso está bien –dijo tranquilamente–. Quizá si vuelvo a reunir el valor suficiente para afrontar otra negativa, te llame para salir. Que pases un buen día, Amelia.

Le dio la vuelta al cartel de «Cerrado» y salió a la calle. Cuando se metió en su camioneta sonrió picaronamente. Cuanto más pensaba en ello, más lo divertía la situación. No sabía ni cómo, ni cuándo, pero se iba a casar con ambas mujeres aunque se dejase la vida en ello. Aquel pensamiento era tan incongruente que se echó a reír, a reír a carcajadas.

Capítulo Seis

Amelia iba corriendo, pero aquella vez no por el callejón. Iba decidida, con su chándal y zapatillas de jugar al tenis, lo que Wilhemina denominaría «una apariencia muy desafiante». Iba corriendo hacia la esquina donde Raelene Stringer la estaba esperando.

Effie Dettenberg estaba de pie, escondida detrás de las cortinas, mirando por la ventana. Para su asombro, Amelia la saludó mientas pasaba por enfrente de su casa haciendo footing.

–No me va a engañar –murmuró para sí la anciana, disgustada porque la había pillado espiando.

Se cambió de ventana, con sus prismáticos en la mano. Estaba dispuesta a ver con sus propios ojos lo que Amelia Beauchamp se traía entre manos, y estaba segura de que no era nada bueno.

El corazón de Amelia latía con fuerza cuando se acercó al coche de Raelene.

–Llegas pronto.

–No voy a ir –dijo Amelia–. He tomado una decisión. Dile al jefe que lo dejo o que me he ido o que me he muerto... dile cualquier cosa, me da igual. No quiero volver a ese lugar.

Odiaba defraudar a Raelene, porque había sido muy buena amiga, pero ya había tomado una decisión. Como Raelene había sido tan discreta y le había guardado el secreto, sentía que le debía una explicación.

–Me lo esperaba, preciosa –dijo Raelene con una sonrisa burlona.

Amelia se encogió de hombros.

–Creo que es tiempo de terminar antes de que todo salte por los aires.

–Por mí no te preocupes, no diré nada, creo que ya lo sabes.

Amelia le dio un abrazo a su amiga, ignorando el hecho de que estaban de pie en la calle a la vista de cualquiera.

–No puedo agradecértelo lo suficiente –dijo Amelia con la voz quebrada por la emoción–. Voy a echar de menos trabajar contigo, has sido una amiga de verdad.

–Bueno, bueno, preciosa –exclamó suspirando Raelene–. Yo también te echaré de menos pero será mejor que vuelvas antes de que alguien también te empiece a echar de menos.

Amelia sonrió porque sabía que se refería a sus tías.

–Están durmiendo, pero tienes razón, será mejor que vuelva. Es casi de noche y ya sabes lo que dicen. Una señorita no está nunca a salvo por la noche.

Las dos se miraron a los ojos y se echaron a reír.

–Yo también tengo que irme, si no llegaré tarde –dijo Raelene y se metió en el coche.

Arrancó y se alejó mientas Amelia se quedó de pie diciendo adiós con la mano. Al cabo de un rato se dio la vuelta y empezó a caminar en dirección a su casa. Por primera vez en meses se iba a meter en la cama antes de las dos de la madrugada.

Se le llenaron los ojos de lágrimas al pensar en Tyler. Podía imaginárselo perfectamente entrando en el Old South buscando a Amber. Lo quería con toda su alma, pero él estaba enamorado de Amber y ella, a todos los efectos, ya no existía. Aunque había flirteado con Amelia, no había sido en serio. Amelia llegó a la conclusión de que lo había hecho para demostrarse a sí mismo que, después de que Amber lo rechazase, las mujeres aún lo deseaban. Ella suspiró. ¿Qué habría sentido el pobre cuando hasta la aburrida bibliotecaria de Tulip, Georgia, lo había rechazado?

Estaba destrozada, lo único que la animaba era el hecho de que había reunido el dinero suficiente para comprarse un coche. Se metió en su casa, cerró la puerta y se dirigió a su cuarto.

Al otro lado de la calle, la señorita Effie puso sus prismáticos encima de una mesa.

–Bueno, lo he visto con mis propios ojos –murmuró–. Ella le ha dado un abrazo a... esa mujer, delante de todo el mundo. Se estaban riendo como si fueran viejas amigas, pero me pregunto, ¿por qué no se habrá ido con ella?, ¿por qué?

Tyler se estiró. Le dolía todo el cuerpo. Durante tres días seguidos había hecho ejercicio hasta terminar exhausto. Así podía conciliar el sueño y dormir, y durante unas horas dejar de pensar en la mujer que desesperadamente había estado intentando evitar.

Tenía un plan. Sabía que Amber había dejado de trabajar en el club, había llamado al Old South para cerciorarse. Dejaría pasar un tiempo para que Amelia digiriese el hecho de que Tyler no volvería a ver a Amber. Con aquello esperaba que Amelia terminara aceptándolo.

Estaba de pie, frente a su cosecha. Estaba anocheciendo. Se dio la vuelta y se dirigió hasta su casa. Detestaba tener que estar solo. Aquella noche, quizá... solo quizá, haría una llamada de teléfono. Y quizá... solo quizá, después de escuchar su voz, sabría si su plan estaba funcionado.

–Pareces triste, querida –remarcó Rosemary mientras terminaban de cenar–. ¿Estás bien?

Amelia estiró la espalda y sonrió.

–Por supuesto que estoy bien, tía Rosie, pero gracias por preguntar. Tómate un poco más de pastel. A tía Willy le ha salido muy bueno, ¿no crees?

Rosemary asintió con la cabeza mientras aceptaba otro trozo de aquel delicioso postre.

Amelia intentaba que sus tías no se dieran cuenta de su estado de ánimo. Con tía Rosie no había problema, pero Wilhemina era otra cosa. Tenía los dos pies firmemente sobre la tierra y era más astuta cada año que pasaba.

–He notado que llevas el pelo suelto otra vez –dijo Wilhemina–. ¿Sigues teniendo dolores de cabeza?

Amelia quería llorar, si solo fuesen dolores de cabeza... Le dolía el corazón. Echaba muchísimo de menos a Tyler, echaba de menos su voz, su sonrisa y todo por su propia culpa.

Suspiró y finalmente respondió.

–Realmente no, tía Willy. Simplemente quería cambiar un poco de aspecto. Me parece que es bueno para el alma, ¿no crees?

Su tía frunció el ceño.

–Yo creo que sí –replicó Rosemary–. ¿Y tú, hermana?

De pronto el teléfono empezó a sonar. Reinó un silencio absoluto. Intercambiaron miradas de asombro, nunca antes habían llamado después de hacerse de noche, de hecho, era muy raro que en aquella casa sonase el teléfono, independientemente de la hora que fuese.

–¡Es el teléfono! –exclamó Rosemary muy animada.

–Ya sé que es el teléfono –murmuró Wilhemina–. ¿Quién llamará a estas horas?

Amelia estaba boquiabierta, no podía recordar la última vez que aquel teléfono había sonado.

–Solamente son las siete y media, tía Willy. Y solamente hay una manera de averiguarlo, yo contestaré.

–No, tú no –le ordenó Wilhemina levantándose–. Yo lo haré y le quitaré, a quién quiera que sea, la idea de volver a llamar a estas horas. ¿Hola? –preguntó la anciana furiosa cuando descolgó el auricular. Su disgusto se transformó en sorpresa y confusión cuando escuchó la voz de un hombre y su petición. Se dio la vuelta y se quedó mirando a Amelia atónita–. Es para ti, ¡es Tyler Savage!

–Bueno, bueno –murmuró Rosemary–. Me encanta ese chico, me recuerda a...

Amelia estaba congelada, pero aun así se levantó hacia el teléfono. Intentó no sonreír cuando escuchó la voz familiar de Tyler.

–¿Hola?

Tyler sonrió y se relajó. Por lo menos hablaría con ella por teléfono. Se estiró sobre su cama y se colocó el auricular a escasos centímetros de la boca.

–¿Qué tal estás? –preguntó él.

–Supongo que bien.

Tyler pudo notar en la voz de Amelia dolor y soledad. Era como el eco de sus propios sentimientos.

–¿Has pensado mejor lo que te dije el otro día, sobre salir conmigo a cenar?

Amelia sonrió, ¡iba en serio! Sintió deseos de

llorar, luego de reír, pero tuvo que contenerse porque su tía Willy estaba respirando sobre su nuca.

–Algo –contestó ella suavemente–. De hecho, tengo un problema y creo que tú puedes ayudarme.

Tyler cerró los ojos y soltó un gruñido. Él también tenía un problema y era muy doloroso. Hacer el amor con ella durante los próximos quince años quizá lo resolviese.

–Estaría encantado de ayudarte –dijo él–. ¿Cuándo podemos vernos para hablar de ello?

–¿Qué te parece el domingo?

–Me parece muy bien –contestó él.

–Podemos vernos en...

–No, iré a tu casa, te recogeré allí, ¿está bien?

En aquel momento aquello le resultó familiar a Amelia, pero no pudo pensar detenidamente sobre ello porque Wilhemina empezó a regañar a Rosemary cuando se puso a aplaudir encantada.

–Está bien y gracias por llamar.

«Gracias a ti», pensó Tyler sonriendo mientras colgaba el auricular.

–Exactamente, ¿qué significa todo esto? –preguntó Wilhemina muy seria.

–¿El significado de qué, tía Willy?

–¿De ver a un hombre como ese? Y no te hagas la inocente conmigo, señorita. Sabes perfectamente a lo que me refiero. ¿Por qué te ha llamado? ¿Lo has estado viendo a nuestras espaldas? –dijo Wilhemina llena de indignación.

–Por el amor de Dios, Willy. La chica tiene veintinueve años. Puede ver a quien quiera –contestó Rosemary–. Además, yo no veo nada malo en ese chico, su propia madre era amiga tuya en el colegio.

Wilhemina respiró profundamente.

–Pero tiene una reputación terrible, recuerdo que...

–Déjalo –la interrumpió su hermana Rosemary–. Eso fue hace años, estoy segura de que el chico ha cambiado. Recuerda lo que dijo nuestro padre cuando...

Wilhemina no tenía ninguna intención de escuchar lo que su hermana iba a decir.

–No sé por qué no puedes acordarte de dónde pones tus cosas y puedes acordarte de cosas que sucedieron hace más de veinte años. No tiene ningún sentido, ninguno en absoluto.

–Sí, sí que lo tiene –contestó Rosemary hablando muy en serio–. Recuerdo aquellos años porque fueron los mejores, nada nos ha sucedido después, excepto que nos estamos haciendo viejas, Willy.

Por unos instantes reinó un silencio sepulcral.

–Algo os ha sucedido –dijo Amelia rompiendo el silencio–. Me tenéis a mí.

–Eso es verdad –dijeron las hermanas al mismo tiempo–. Te tenemos a ti.

Por el momento la llamada de Tyler se les olvidó. Cuando Wilhemina se metió en la cama se volvió a acordar de ello. Hablaría con su sobrina a la mañana siguiente.

–¡Ya ha venido! –gritó Rosemary abriendo la puerta sin darle tiempo a Tyler a apretar el timbre–. Buenos días, Tyler Savage. Pasa, por favor. Amelia vendrá enseguida.

Tyler intentó no reírse, pero le resultó imposible. Rosemary Beauchamp tenía una sonrisa encantadora; además, le iba muy bien con aquel vestido de organza rosa y aquellas zapatillas de deporte.

–¿Ha estado haciendo ejercicio?

–Sí –contestó ella–. Andar es muy bueno para la salud.

–Si, señora –le dijo Tyler entrando en el salón de la casa–. Buenos días, Wilhemina, me alegro de volverla a ver.

Ella asintió con al cabeza.

–Por favor, siéntate. Amelia bajará ahora mismo.

–Después de usted –dijo Tyler, y se sentó después de que lo hiciera Wilhemina.

La anciana se quedó un tanto sorprendida. El muchacho tenía modales. Era muy difícil encontrar en aquellos tiempos a un hombre que supiera tratar a una dama con educación.

–Y exactamente, ¿a qué ha venido aquí?

Tyler pensó que no sería muy buena idea contarle a la anciana que lo que quería era acostarse con su sobrina. Mientras pensaba en una buena respuesta, Amelia apareció por la puerta.

–Amelia. Estás preciosa –dijo Tyler al verla. Tuvo que respirar profundamente para controlar sus instintos.

Ella llevaba un vestido nuevo. Sin mangas y más corto de lo habitual. Aquella vez no se recogió el pelo en un moño, lo llevaba suelto, cayéndole por los hombros. No se había atrevido a ponerse sus lentillas, así que sus enormes gafas descansaban sobre su nariz. Seguía siendo Amelia, pero había permitido que Amber asomara un poco.

Wilhemina no estaba, en absoluto, conforme con todo aquello.

–¿Dónde tenéis planeado ir? –preguntó muy cortante.

Amelia se acercó y besó a sus tías en la mejilla.

–Es una sorpresa –dijo la joven–. Ya os lo contaré cuando regrese.

Tyler no sabía lo que ella tenía en mente, y en realidad no le importaba lo más mínimo, siempre y cuando pudiera pasar el resto del día con aquella mujer.

–¿Nos vamos? –añadió ella.

Tyler se puso de pie, se despidió de las ancianas, siguió a Amelia hasta la puerta e intentó no abrir la boca viendo aquellas caderas moverse.

–¿Dónde me llevas, Amelia? –preguntó él cuando salieron de la casa.

–Necesito tus servicios, Tyler.

«Cariño, yo también necesito los tuyos», pensó él.

–Estoy a tu entera disposición.

–Bien, entonces nos vamos a Savannah, quiero comprarme un coche.

Mientras se metían en la camioneta, Tyler reprimía una sonrisa de satisfacción. Estaba pletórico. Ella no había trabajado en el Old South porque quería conocer a hombres o porque le gustase la vida nocturna. Lo que quería era comprarse un coche.

–Estaré encantado de ayudarte –dijo él, y un tanto preocupado, añadió–: Siempre y cuando no tengas planeado irte de Tulip cuando te lo compres.

–No, simplemente quiero viajar un poco antes de hacerme demasiado mayor. No tengo intención de marcharme para siempre, nunca abandonaría a mis tías –dijo ella, e hizo una pausa–, ni a ninguna otra persona por todo los coches del mundo –añadió finalmente.

Tyler sonrió. Nunca había deseado besar tanto a una mujer en toda su vida. Claramente se refería a él.

–Está bien. ¿Te gusta algún coche en particular?

–El que me pueda comprar con doce mil dólares, siempre y cuando sea rojo. Me gusta el color rojo.

Continuaron el resto del camino charlando animadamente hasta que llegaron a Savannah.

–¿Estás segura de que esto es lo que quieres? –le preguntó Tyler frente al coche que acababan de probar.

–¡Oh, sí! Es pequeño, económico y tiene cuatro puertas, así mis tías podrán entrar y salir con facilidad. Además, es rojo.

Tyler sonrió al ver su entusiasmo.

–Está bien, déjame a mí negociar con el vendedor. Intentaré rebajarle un poco el precio. Espera aquí, veré lo que puedo hacer.

Ella asintió y se quedó esperando mientras él se alejaba. Intentó que no se le notase lo mucho que deseaba aquel hombre.

Tyler regresó antes de que ella pudiese pensar cómo les iba a contar a sus tías que se había comprado un coche.

–¡Enhorabuena! ¡Te has comprado un coche! Firma un cheque por diez mil dólares y es todo tuyo.

Amelia dio un salto de alegría y se echó a sus brazos.

–¡Oh, Tyler! Gracias, nunca lo hubiera hecho sin ti.

Amelia supo al instante lo que él iba a hacer. Ella tenía la boca entreabierta, su aliento era mentolado. Los dedos de Tyler acariciaron su pelo, la tomó por la nuca y la atrajo hacia él. Su boca era firme, amplia y suplicante. La sedujo hasta que ella rayó la inconsciencia.

–¡Oh, Tyler! –ella suspiró apartándose y alzando los ojos. Él la estaba mirando.

Tyler le quitó las gafas.

–Eso es todo lo que puedes decir –bromeó él.

–Devuélvelas –dijo ella rápidamente quitándole las gafas de las manos y volviéndoselas a poner–. Tengo muchas cosas que decir, pero este no es el momento ni el lugar.

Él sonrió burlonamente. Quería aquella mujer, pero no estaba muy seguro de quién era la verdadera Amelia Ann y quién era la impostora.

Effie Dettenberg fue la primera en verlo venir por la calle. Abrió la boca al ver aquel coche rojo aparcar en la entrada de la residencia Beauchamp. También vio a las dos hermanas que salían de la casa y fue testigo de sus caras de asombro. En aquel momento todo se aclaró en su cabeza. Amelia se había comprado un coche y la vieja Effie sabía perfectamente de dónde había sacado el dinero. La joven era amiga de Raelenne y todo el mundo sabía cuál era el trabajo Raelene y cómo ganaba su dinero. Era vergonzoso que las pobres hermanas Beauchamp vieran su honor manchado por el comportamiento indecente de su sobrina. Su deber era contárselo todo, pero aún no había decidido cómo hacerlo.

Capítulo Siete

Amelia contuvo la respiración mientras sus tías bajaban los escalones del porche. Rosemary sonreía feliz y Wilhemina fruncía el ceño.

–¿Qué significa todo esto? –preguntó Wilhemina.

–Es una sorpresa –contestó Amelia–. He estado ahorrando dinero durante mucho tiempo y me lo he comprado.

–Pero ¿qué pasa con el Chrysler?, no tiene muchos kilómetros –murmuró la anciana.

–Eso es porque nunca ha salido de Tulip –contestó su hermana, que siempre había deseado tener algo rojo.

–¿Por eso necesitabas la ayuda de este hombre? –preguntó Wilhemina, que estaba un poco asustada por la idea de perder a Amelia.

–En parte, sí. Él es mi amigo, es muy amable y generoso.

–No será para tanto –contestó su tía. Por primera vez en su vida, su sobrina había salido de casa con un hombre.

–Yo creo que es muy guapo –exclamó Rosemary–, además, quiero darme una vuelta en el coche. ¿Puedes llevarme a dar una vuelta, Amelia? Me pondré en el asiento delantero, acordaos que siempre sufro mareos.

–Tú no sufres nada parecido –argumentó Wilhemina.

–Por supuesto que sí. Recuerda cuando me mareé y vomité encima de todo el mundo.

–Eso fue porque te comiste tres trozos de pastel de chocolate y un cuenco de helado, por eso te mareaste volviendo del picnic que organizó la parroquia.

Amelia interrumpió a sus tías.

–Meteos en el coche de una vez. La tía Rosie podrá ponerse delante.

Las ancianas la obedecieron y se metieron en el coche en silencio.

Amelia puso un paquete de pasas en su cesta de la compra intentando ignorar la sonrisa de satisfacción que tenía el chico del supermercado mientras la miraba. No era la primera vez que tenía que soportar aquel comportamiento. Todo había empezado hacía cinco días, cuando se compró su coche rojo. Desde entonces, la gente no paraba de cuchichear a su alrededor, de señalarla con el dedo y de dejar de hablar cuando ella se acercaba. Además, tenía la sensación de que las cosas iban a peor. Sabía perfectamente quién era la responsable de que se extendiesen rumores sobre ella. Había solamente una persona, sin contar a Raelene, que la había visto salir por la noche: la señora Effie.

Amelia suspiró, aquello se terminaría algún día. Ella no había hecho nada malo. Si la biblioteca le hubiera dado un salario mejor, nunca hubiera tenido que buscarse un segundo trabajo.

–¿Esto es todo? –preguntó la señorita de la caja registradora. Le habían llegado los rumores que contaban cómo Amelia había conseguido el dinero para comprarse su nuevo coche; personalmente a ella le costaba creer que un hombre hubiera pagado dinero para estar con alguien con aquel aspecto, pero ella sabía que los hombres podían ser muy estúpidos.

Amelia asintió, sacó su monedero y pagó. Cuando salía de la tienda, un chico, que pasaba por la calle, la miró de una manera que ella no supo si darle una bofetada o salir corriendo. Se metió en su coche a toda prisa, apoyó la cabeza sobre el volante y se puso a llorar. Algo tan inocente como querer comprarse un coche nuevo, se había convertido en una pesadilla. Tenía que contarle todo aquello a sus tías antes de que se enterasen por los rumores.

Se metió en su casa con las bolsas del supermercado y comenzó a buscar a sus tías. Las encontró viendo la televisión. Amelia se acercó hasta ella y la apagó. Las ancianas, al ver su cara tan pálida, se quedaron muy sorprendidas.

Wilhemina fue la primera en hablar.

–¿Qué te pasa, querida?

–¿Estás enferma? –preguntó Rosemary a continuación.

Amelia negó con la cabeza, dejándose caer sobre una silla frente a ellas y rompiendo a llorar.

Wilhemina estaba horrorizada, nunca antes su sobrina se había comportado así.

–Es ese hombre, sabía que no era bueno para ti.

El llanto de Amelia se hizo desconsolado.

–¿Qué te pasa? –preguntó con dulzura Rosemary–. Nos los puedes contar, nos puedes contar cualquier cosa, ya sabes lo mucho que te queremos.

–Todo ha sido culpa mía –empezó a decir Amelia después de sonarse la nariz con el pañuelo que le había dejado su tía–. No era mi intención que todo esto llegase tan lejos, nunca quise mentiros. Solamente quería ganar dinero para comprarme el coche.

Rosemary y Wilhemina se miraron asombradas, no entendían nada.

–Continúa, querida –dijo Rosemary–. Te estamos escuchando.

Amelia lo hizo. La cara de Wilhemina fue enrojeciendo a medida que su sobrina hablaba. Los ojos de Rosemary se abrían cada vez más hasta que finalmente terminó por sonreír.

–¿Quieres decir que te pusiste a trabajar en un club nocturno y que te ponías uno de esos encantadores mini vestidos?

Wilhemina miró a su hermana con reproche.

–No tiene importancia lo que llevase puesto –dijo ella–. Lo que importa es que Amelia nunca haría nada que la avergonzase a ella o a nosotras. El asunto es que alguien ha hecho una montaña de un grano de arena. Y ese mismo alguien, al ver a Amelia juntarse con esa mujer, cuya reputación, por así decirlo, ha sufrido las consecuencias de no tener a nadie que la guíe, la ha metido en el mismo saco.

Amelia se tiró a abrazar a sus tías.

—Debería haber sabido que me entenderíais.

—¿De verdad has hecho todo ese dinero a base del sueldo y las propinas? —preguntó su tía Rosemary con una sonrisa picarona.

Amelia asintió con la cabeza.

—Bueno, ¡creo que es maravilloso! ¿Crees que a mí me darían un trabajo? No me vendría mal un dinerillo extra.

—¡Rosemary! —exclamó Wilhemina.

Amelia sonrió entre lágrimas.

—No puedo decir que esté encantada con ese tipo de trabajo —continuó Wilhemina—, pero no veo nada malo en ello. Ahora lo que quiero es hablar con nuestra querida vecina.

—Déjalo estar, tía Willy. Todo ha sido por culpa mía. Los rumores terminaran desapareciendo —dijo Amelia antes de ponerse a llorar otra vez.

Su tía la condujo hasta su habitación, mientras Rosemary se quedaba en el salón mordiéndose el labio llena de ira, pensando en la tonta de Effie Dettenberg. Pero si un hombre había sido el causante de todos los problemas de su sobrina, un hombre tendría que arreglarlo todo. Apretó los labios y se dirigió hasta la cocina.

Tomó un llavero lleno de llaves y con determinación salió de la casa por la puerta trasera. Un escalofrío de nerviosismo recorrió su espalda cuando introdujo la llave para encender el viejo Chrysler. Había pasado mucho tiempo desde que había conducido un coche por última vez, pero se tranquilizó pensando que cuando uno aprendía a conducir, no se olvidaba nunca. Un tanto horrorizada, se dio cuenta de que Amelia había separado al máximo el asiento del volante. Suspiró profundamente; estaba en una misión muy importante y no podía perder el tiempo ajustando asientos. El coche finalmente arrancó y la anciana, que no metió la marcha adecuada, hizo lo que pudo para conseguir que el coche saliera a la carretera. Al doblar la esquina Rosemary sonrió llena de satisfacción.

Tyler aparcó el tractor en la sombra. Cultivar cacahuetes era un trabajo muy duro. Se bajó del vehículo cuando empezó a escuchar aquel ruido. Se detuvo y se dio la vuelta. Alguien se acercaba conduciendo a mucha velocidad. Anduvo unos pasos y se quedó atónito al ver el familiar Chrysler azul acercarse hasta su granja. ¡Era Amelia y conducía a toda velocidad! Por un momento temió que algo malo hubiera ocurrido, además, ¿por qué venía en su viejo coche si tenía el nuevo? El coche tomó la última curva derrapando y levantando mucho polvo. Tyler entrecerró los ojos dándose cuenta que era prácticamente imposible ver la cabeza del conductor, que asomaba solamente unos centímetros por encima del volante. Fue entonces cuando reconoció a la persona que iba conduciendo y se puso a correr en su dirección.

–¡Hola, Tyler Dean! Hace un día muy bueno, ¿verdad?

–Señorita Rosemary –fue todo lo que Tyler pudo decir mientras abría la puerta del coche–. ¿Qué demonios está haciendo aquí? ¿Le ha pasado algo a Amelia? ¿Por qué no me ha llamado?

–Me alegro que me preguntes por ella –contestó la anciana, contenta al ver la sincera preocupación que demostraba el joven por su sobrina–. No sabía qué hacer cuando Amelia se puso a llorar y...

Él se quedó congelado, ¿Amelia? ¿Llorando? Sintió un pinchazo en el corazón. No podía soportar la idea de ver a Amelia sufriendo.

–¿Por qué estaba Amelia llorando? –preguntó él gritando sin poderlo evitar.

–Es por culpa de esa Effie Dettenberg. Ha estado contando mentiras sobre Amelia, ya sabes, que aceptó un trabajo por la noche para ganar dinero para comprarse un coche y...

Tyler suspiró. Finalmente Amelia se lo había confesado a sus tías. Deseaba profundamente que lo hubiera hecho con él también.

–¿Cómo lo sabe? ¿Alguien se lo ha dicho?

Rosemary le repitió todo lo que Amelia les había contando. Tyler se mantuvo en silencio unos momentos y empezó a enrojecer furioso.

–Quiere decir que... ¿ha estado diciendo eso a todo el mundo?

La anciana asintió con la cabeza vehementemente.

–¡Oh, sí! Amelia nos ha contado que el gasolinero le preguntó si cobraba más caro los sábados por la noche. El chico del supermercado la pellizcó en el... –a Rosemary se le encendió el rostro y miró hacia abajo–. La pobre está destrozada.

Tyler no pudo hacer otra cosa que morderse los labios para controlar su ira. Tomó a la anciana por el huesudo brazo y la dirigió al interior de su casa.

–Venga conmigo, señorita Rosemary. Tengo que cambiarme de ropa antes de llevarla de vuelta a casa.

–Me alegro de haber hablado contigo. Estoy segura de que sabes lo que hay que hacer.

–Sí, señora –dijo Tyler brevemente–. Sé exactamente lo que hay que hacer.

En menos de treinta minutos la había llevado de vuelta a su casa. Había sonreído aliviado mientras la vio entrar por la puerta. Entonces supo de dónde había sacado Amelia aquel espíritu independiente y aventurero. Luego, condujo hasta la calle principal con los ojos encendidos por la ira.

Rosemary apareció por la cocina.

–¿Habéis oído?

–Cierra la puerta, Rosemary, hace mucho

viento –se quejó Wilhemina–. ¿Y que si he oído qué? Date prisa y siéntate. Te has dado un paseo larguísimo, hemos estado esperándote.

Amelia levantó los ojos para ver a su tía y vio un brillo en sus ojos que no hubiera sabido describir.

Rosemary suspiró y tomó asiento.

–Si no queréis escuchar lo de la pelea, entonces supongo que yo...

–¿Qué pelea? –preguntaron Wilhemina y Amelia simultáneamente.

Rosemary sonrió y se acomodó en su silla.

–Bueno, ayer parece ser que Tyler Savage fue hasta la gasolinera, salió de su camioneta y le dio un puñetazo a Henry Butcher en al nariz. Dicen que... –la anciana hizo una pausa para dar mayor efecto a su relato–, susurró algo en la oreja de Henry antes de dejarlo allí tirando sangrando por la nariz.

Wilhemina frunció el ceño; no aprobaba las peleas.

El corazón de Amelia empezó a latir violentamente. Algo le decía que allí no acababa todo.

–¿Qué más han dicho, tía Rosie? –preguntó ella.

–Dicen que entonces él condujo hasta el supermercado y que habló con el chico de los recados hasta dejarlo pálido.

Amelia pudo adivinar el resto. Además, pudo escuchar la terrible discusión que tuvieron sus tías la noche anterior cuando su tía Rosie volvió a casa. Se había enterado de que su tía había tomado el coche y se había ido a la ciudad. Por la mañana, Amelia se había asomado a la ventana y había visto que el Chrysler no estaba allí. Sospechaba que Tyler tenía algo que ver con todo aquello.

Amelia se dispuso a terminar su desayuno. No quería ir a trabajar porque no quería ver a toda esa gente que había estado hablando a sus espaldas. Wilhemina vio que su sobrina se estaba poniendo nerviosa.

—No hagas caso de la gente, déjales que hablen, nosotras sabemos la verdad, que es lo que importa.

Amelia pestañeó e intentó no llorar.

—Lo intentaré —contestó ella.

Toda la ciudad estaba al corriente de que Tyler se había pegado por Amelia Beauchamp. Effie Dettenberg estaba muy nerviosa pensando en lo que Tyler podría hacerle. Además, su conciencia no la dejaba dormir por todo el mal que había causado a la pobre Amelia, aunque era incapaz de reconocerlo abiertamente.

Tyler se miró por última vez en el retrovisor de su camioneta antes de salir. Estaba preparado para enfrentarse con su futuro, por eso había ido a hablar con las tres mujeres Beauchamp. Hacía tiempo que había tomado la decisión de pasar el resto de su vida junto a Amelia. Tomó el ramo de flores que acababa de comprar, se dirigió hasta la puerta principal de la casa, llamó dos veces y esperó.

Contestó Wilhemina, que se lo quedó mirando detenidamente. Tyler fue el primero en hablar.

—Señorita Wilhemina, sé que debería haber llamado antes de venir, pero soy así de impulsivo. He venido para pedirle permiso para cortejar a su sobrina. Esto es para usted.

Fue un reflejo lo que hizo que la anciana tomara entre sus manos aquellas flores. El olor de los gladiolos amarillos la llenaron de sensaciones, ¿cómo sabría aquel muchacho que eran sus flores favoritas?

—Bueno —murmuró ella—, supongo que será mejor que pase.

—Está bien —contestó él.

Amelia había regresado de la biblioteca y se estaba cambiando de ropa en su cuarto. Su día había sido mejor de lo que ella había esperado. De pronto escuchó la voz de su tía.

—¡Amelia!

—Ya voy.

La última cosa que esperaba ver en el salón de su casa era a Tyler Savage. Se quedó impresionada y empezó a ponerse muy nerviosa.

—Amelia.

La voz de Tyler era suave. Ella quería abrazarlo, pero se limitó a sonreír.

—Tyler se quedará a cenar con nosotras —anunció su tía Wilhemina.

Amelia abrió la boca llena de asombro, mientras Tyler no podía dejar de mirarla. Se contuvo para no besarla en los labios.

–Bueno, si a Amelia le parece bien –dijo Tyler.

Al otro lado de la calle, Effie Dettenberg también estaba recibiendo una visita inesperada.

–¡Hola, Rosemary! Por favor, adelante. No me acuerdo de la última vez que has venido a verme –dijo Effie cuando abrió la puerta.

–Gracias, Effie, pero creo que me voy a quedar aquí. Esto no es una visita social.

Effie se quedó un tanto parada. Por un instante se ruborizó, pero luego se recordó a sí misma que no había hecho nada malo, nada en absoluto.

–Bueno, pues ve al grano, que tengo que darle la cena al gato –dijo la anciana.

–Tengo entendido que has estado entrometiéndote donde no te llaman –empezó a decir Rosemary muy seria.

–No sé de qué estás hablando –contestó Effie, que nunca había visto así de seria a Rosemary.

–Me lo figuraba, tú tampoco sabes de lo que hablas. Déjame que te lo explique –dijo Rosemary señalándola con el dedo–. Si hubiese sido yo la que hace años se hubiese escapado de casa de mi padre con un tipo con problemas con el juego, no tendría la desfachatez de hablar de los asuntos de nadie, pero no era yo, ¿verdad que no, Effie?

Effie se dejó caer sobre el marco de la puerta. Por un momento consideró cerrársela en toda la cara, pero no hubiera servido de nada. Tragó saliva e intentó hablar, pero Rosemary no le dejó.

–Escuché que tu padre salió a buscaros y os encontró en una cabaña en Natchez. Siempre me figuré que se trataba de un rumor, odio los rumores, ¿tú no?

Effie soltó un gruñido indescriptible.

Rosemary tensó la espalda.

–Bueno, es casi la hora de cenar –continuó diciendo Rosemary–. Creo que esta noche tenemos asado, no quiero llegar tarde –añadió antes de darse la vuelta y bajar los escalones del porche, pero se detuvo y se giró hacia Effie–. Me alegro de que hayamos tenido esta conversación, ¿y tú?

Effie asintió con la cabeza mientras veía cómo aquella pequeña mujer se alejaba. Se había quedado como si le hubiesen echado un jarro de agua fría.

–Maldita sea, no creía que quedase en Tulip nadie lo suficientemente mayor para recordar aquello –murmuró entre dientes.

El único episodio libertino de la vida de Effie había acabado en una humillación pública. Como consecuencia de aquello, se había pasado el resto de su vida adulta intentando terminar con la reputación de los demás. Obviamente, tendría que buscarse otro entretenimiento o se las tendría que ver de nuevo con Rosemary.

Capítulo Ocho

—No recuerdo la última vez que alguien nos acompañaba a la iglesia —dijo Rosemary entusiasmada.

—Sí, señora —contestó Tyler—. Para mí es un placer. Normalmente no me suelo sentar con tres mujeres tan bonitas.

A Wilhemina le agradó aquel comentario, pero frunció la boca al ver cómo Tyler tomaba a Amelia por el brazo.

—Bueno, hacía mucho tiempo que un hombre no se sentaba en nuestro banco, supongo que ya era hora —comentó Wilhemina a su hermana mientras se adelantaban entrando en la iglesia.

Aprovechando que los habían dejado solos, Amelia se giró para decirle a Tyler algo, pero no pudo porque él la besó. Tyler no pudo contenerse. La boca de Amelia estaba cálida y abierta, con lo cual él aprovechó la ocasión para deslizarse en su interior.

Amelia se quedó de pie disfrutando del momento, cuando se dio cuenta de que se encontraban a los pies de la iglesia, delante de todo el mundo que pasase por allí. Un tanto ruborizada se separó de él, miró a su alrededor y suspiró aliviada al ver que no había nadie.

–No te voy a pedir perdón por esto –dijo Tyler acariciándole con los dedos los labios. Se había dado cuenta lo excitante que Amelia podía ser, incluso más que Amber.

Sin decir nada se metieron en la iglesia, siguiendo los pasos de las hermanas Beauchamp. La congregación, al ver que Tyler se sentaba con ellas, empezó a murmurar, pero él se giró bruscamente y se los quedó mirando e inmediatamente todo el mundo enmudeció.

A Tyler aquellas cosas le daban igual; estaba cortejando abiertamente a Amelia y no había nada malo en ello. Pero se acercaba la parte más difícil: encontrar la manera de convencer a Amelia de lo mucho que la quería.

Las últimas migas del pastel que había hecho Wilhemina desaparecieron en la boca de Tyler. Él se echó hacia atrás y sonrió satisfecho.

–Señorita Wilhemina, es usted una magnífica cocinera. Hacía mucho tiempo que no comía tanto y tan bien.

Ella casi se ruborizó.

–Gracias, Tyler –contestó.

Amelia sonrió. La comida había sido estupenda.

–Hace una tarde maravillosa, deberías llevarte a Tyler a dar una vuelta en tu nuevo coche, Amelia. Que os dé un poco de aire fresco, será bueno para tus dolores de cabeza –dijo Rosemary.

Wilhemina frunció el cejo. No pensaba que aquello fuese una buena idea, pero fue demasiado tarde para decir nada, porque Tyler ya se había levantado.

–¿Tienes dolores de cabeza? –preguntó él con preocupación.

Amelia se encogió de hombros.

–De vez en cuando.

–Lee demasiado –apuntó Wilhemina.

Rosemary movió los ojos.

–Por el amor de Dios, Willy. Es su trabajo, trabaja en una biblioteca llena de libros.

Tyler, que no quería perder la oportunidad de la invitación de Rosemary, las interrumpió.

–Amelia, me encantaría si me dejases conducir a mí. Me gustaría enseñarte mi granja.

–Está bien –dijo Amelia que intentó no caerse de la silla por la emoción.

Wilhemina iba a decir algo cuando Rosemary, que había apoyado los codos sobre la mesa, tiró accidentalmente un bote lleno de mermelada de frambuesa encima del mantel de lino blanco.

–Mira lo que has hecho, recogeré los platos antes de que ensucies todo –dijo Wilhemina levantándose y dirigiéndose a la cocina.

–Iros, iros –aprovechó a decir Rosemary a su sobrina y a Tyler mientras su hermana no estaba–. Cuando regrese le diré adiós de vuestra parte.

Amelia abrazó a su tía y la dio un beso en la mejilla.

–Gracias, te quiero –susurró Amelia.

Los pequeños ojos de Rosemary parpadearon divertidos.

–Eso se lo tienes que decir a otra persona.

Una vez fuera, Tyler abrió la puerta de su camioneta para que Amelia entrase. Una vez sentada, él le apartó un poco la falda para que no se pillase al cerrar la puerta. Contuvo la respiración cuando le rozó ligeramente las piernas. Incluso bajo la falda, pudo sentir la firmeza de sus muslos. Alzó la mirada y vio a Amelia, que lo estaba mirando con la boca entreabierta, respirando suavemente. Incapaz de resistir lo que ella ofrecía, allí mismo, a plena luz del día, la besó en los labios.

Amelia gimió al notar aquella boca sensual invadiéndola. Tenía los labios firmes... prometedores. Ella agarró el asiento con las manos cuando él se separó.

–¿Estás preparada, cariño?

Ella parpadeó, ¿preparada? ¡Nunca lo había estado tanto!

–Por supuesto –contestó Amelia–. Será mejor que nos vayamos antes de que mi tía Wilhemina se dé cuenta de que aún estamos aquí.

–Cariño, si tu tía supiese lo que tengo en mente, no te dejaría ni asomarte a la puerta –dijo Tyler riendo.

Amelia se quedó un poco sorprendida por su honestidad y se quedó callada el resto del viaje.

–Ya hemos llegado –dijo él aparcando el coche frente a su casa.

Ella miró a su alrededor un tanto confundida; estaba bastante nerviosa. Él se dio cuenta. Quería tomarla en brazos y llevarla hasta su cama, pero en su lugar le ofreció la mano para ayudarla a salir de la camioneta. Ella se quedó parada, arreglándose el vestido y el pelo, cuando notó las manos de Tyler.

–Amelia...

Con un suspiro, ella lo miró.

–Por favor, cariño –continuó él–, no me tengas miedo. Nunca te haría daño, solamente quiero hacerte feliz.

Amelia se relajó y sonrió.

–Lo sé, pero todo esto es muy raro. Hemos vivido toda la vida en la misma ciudad, y hasta ahora nunca te habías fijado en mí –ella se ruborizó, pero siguió hablando–. Te conozco y sé que no sabías ni que existía.

–Intenta no juzgarme por las estupideces que hice en el pasado. Desgraciadamente, los hombres tardan más tiempo en madurar que las mujeres y afortunadamente para nosotros, las mujeres tienen la suficiente paciencia para esperar a que lo hagamos –dijo él, y pasando un dedo por su mejilla añadió–: Tengo que darte las gracias por esperar.

Un escalofrío recorrió la espalda de Amelia.

–De nada.

Estaban tan cerca que ella pudo oler el perfume de su loción de afeitado; quería que la besase, aquel hombre la estaba volviendo loca.

Tyler la tomó de la mano.

–Vamos, Amelia. Como no salgas del coche nos vamos a meter en un lío.

Amelia siguió sus indicaciones, pero quería meterse en aquel lío y estaba dispuesta a hacerlo lo antes posible.

Pasaron la tarde paseando, hablando y mirándose. Tyler le contó todo sobre su familia, su granja y su amor por aquella tierra. Aquel hombre era algo más que una cara bonita y un cuerpo sexy.

Regresaron hasta la casa de nuevo. Amelia se quedó en el porche y Tyler se fue a por algo de beber. Ella respiró profundamente; aquella casa era muy agradable y hacía la temperatura perfecta. Casi sin darse cuenta se sentó, se quitó los zapatos y las gafas.

Tyler apareció con un par de vasos de limonada con hielo y se encontró a Amelia recostada y dormida. Contuvo la respiración al ver su pecho moverse rítmicamente por la respiración. Dejó la limonada y se sentó a su lado. Colocó la cabeza de Amelia en sus rodillas y empezó a acariciarle el pelo. Amelia suspiró mientras Tyler seguía deslizando los dedos por su pelo, cada vez que se encontraba una horquilla, se la quitaba y poco a poco el pelo de Amelia empezó a soltarse. Cuando terminó se la quedó mirando con tanta intensidad que ella abrió los ojos, y Tyler pudo ver que ardían de deseo.

–No luches conmigo –murmuró.

Ella se relajó. Tyler empezó a deslizar las manos por sus brazos, acariciándolos suavemente, y poco a poco se dirigió hasta su escote. El deseo lo estaba matando. Amelia se estremeció; no sabía si acercarse a él o salir corriendo.

Tyler estaba a punto de perder la cabeza.

–Por favor, Amelia no te muevas –susurró notando cómo ella movía la cabeza en su regazo.

Amelia se quedó congelada al darse cuenta en dónde estaba apoyada. No estaba sobre una superficie blanda, precisamente. El pánico se apoderó de ella. Se puso derecha y el pelo la cayó sobre los hombros.

–¿Qué le ha pasado a mi pelo? –preguntó extrañada poniéndose las gafas.

Tyler sonrió divertido.

–Se te cayeron un par de horquillas y yo te he quitado el resto.

Amelia tenía miedo de mirarlo, ¡la iba a reconocer! Y entonces todo terminaría entre ellos.

Tyler suspiró y se dio cuenta de su miedo. Deseó con todas su fuerzas que Amelia le contase la verdad, pero ella no dijo nada. Al rato, él se agachó y recogió las horquillas.

–Toma, cariño. Hay un baño al final del pasillo. Ve y péinate de nuevo.

Ella se levantó rápidamente y se fue corriendo.

«¡Oh, Amelia! Todo lo que tienes que hacer es contarme la verdad», se dijo para sí Tyler; se tapó la cara con las manos e intentó no pensar en el dolor que tenía en el regazo, que no era comparable con el de su corazón.

El viaje de vuelta fue muy tranquilo. Al llegar a la casa de Amelia, Tyler se bajó del coche para abrirle la puerta. Sus tías estaban sentadas en el porche bebiendo limonada y disfrutando de la temperatura.

–Me ha encantado estar contigo, me ha gustado mucho tu granja y...

–Personalmente, lo que más me ha gustado ha sido verte dormir.

Ella se ruborizó y sonrió.

–Para mí también ha sido la mejor parte.

Él soltó un grito de satisfacción.

–Habéis estado fuera toda la tarde –dijo desde el porche Wilhemina mirándolos con censura.

–Sí, señora, pero es que es una granja muy grande –contestó él.

–¡Mirad! –exclamó Rosemary–. Effie Dettenberg nos está mirando desde su ventana.

Tyler se giró para verlo. Sus ojos se entrecerraron. Sabía perfectamente que aquella anciana había sido la culpable de todos los rumores que había sobre Amelia. Se enfureció y se metió las manos en los bolsillos deseando que no se tratase de una mujer. Se detuvo a considerar lo que se le acababa de ocurrir. Sin que Amelia lo viera venir, Tyler la tomó por los hombros y allí, delante de sus tías y de Effie Dettenberg, la besó tranquilamente en los labios.

–Adiós, Amelia –dijo–. Señorita Wilhemina,

gracias otra vez por la estupenda comida. Rosemary, ha sido un placer.

Se dio la vuelta y saludó con la mano hacia la ventana tras la que Effie se escondía.

Wilhemina se quedó atónita, asintió con la cabeza al escuchar su comentario, pero un tanto avergonzada ante aquel comportamiento. Había que admitir que el chico no tenía ninguna intención de esconder sus sentimientos por Amelia, la había besado claramente allí delante. No le gustaba especialmente Tyler Savage, pero reconoció que era honesto y sincero.

El rostro de Amelia estaba muy colorado y su corazón latía descontroladamente. En algún lugar del camino, entre la granja y su casa, había terminado de enamorarse profundamente de Tyler. Además, él acababa de demostrarles a todos sus intenciones. Se lo quedó mirando mientras se alejaba, y entonces supo que no podía dejarlo marchar, no sin hablar primero con él.

–¡Tyler!

Él se dio la vuelta y esperó.

–Me lo he pasado muy bien.

La sonrisa de Tyler tardó un poco en aparecer en su cara, pero cuando apareció, hizo que Amelia se estremeciese por dentro.

–Ha sido un placer, Amelia, un auténtico placer.

Mientras que Amelia aparcaba el coche frente al supermercado, vio pasar a Raelene Stringer cargada con dos bolsas llenas de comida. Salió del coche dando un salto y se acercó a ella rápidamente, ayudándola con una de las bolsas.

–Deja que te lleve una.

Raelene, al verla, sonrió.

–Me sorprende que tengas el valor de hablar conmigo. He oído cosas de ti que hacen que mi reputación sea una tontería –bromeó Raelene.

Amelia miró hacía arriba y se encogió de hombros.

–Venga, te llevaré a tu casa, ¿qué le ha pasado a tu coche?

Raelene se sorprendió gratamente al ver el coche rojo de Amelia.

–¡Qué bonito! El mío está en el taller, espero que esté listo para esta noche. Por cierto, parece ser que sigues viendo a ese Tyler, ¿eh?

–Aún no le he dicho la verdad –contestó Amelia arrancando el coche y saliendo del aparcamiento–, pero se la voy a decir muy pronto, en cuanto tenga la primera oportunidad.

Raelene se quedó mirando a su amiga; la llenó de ternura lo inocente que era Amelia. ¿Cómo diablos un tipo como Tyler no iba a saber que Amber y Amelia eran la misma persona? Cuando llegaron a su casa, Raelene abrió la puerta del coche para salir.

–Muchas gracias por el paseo.

–Simplemente le estoy devolviendo el favor a una amiga.

Raelene se detuvo un momento. Por primera vez en toda su vida tenía una amiga, una amiga que no la había juzgado, simplemente la había aceptado tal y como era. Se le llenaron los ojos de lágrimas y se dio la vuelta para ver cómo el coche de Amelia se alejaba y la llenó de satisfacción el hecho de saber que Amelia siempre sería su amiga.

Capítulo Nueve

El ruido de un trueno despertó a Amelia. Se sentó en su cama mientras la lluvia azotaba la ventana de su cuarto. De pronto un ruido de cristales rotos vino del piso de abajo.

–¡Oh, no! Una ventana.

Intentó encender la luz de su mesilla y frunció el ceño. Se había cortado la luz. Salió de la cama. Se calzó sus zapatillas de dormir y se dispuso a bajar las escaleras para ver qué había pasado. A medio camino escuchó un fuerte golpe seco y un gemido de dolor.

–¡Madre mía! ¡Tía Willy! ¡Tía Rosie!

Amelia salió corriendo escaleras arriba y se metió en la habitación de Rosemary. Vio a la anciana sentada en la cama con cara de pánico, pero se alegró de verla.

–Tía Rosie, ¿estás bien?

–Yo sí, pero creo que Willy se ha caído –dijo la anciana con voz temblorosa y queriendo salir de la cama.

–No te muevas –le ordenó Amelia–. No hay luz y no quiero que tú también te caigas. Quédate donde estás, por favor. Volveré enseguida.

Amelia salió corriendo hasta el cuarto de su

otra tía, y pudo ver, gracias a la luz de un relámpago, a su tía Wilhemina tirada en el suelo. A su lado había una mancha de sangre que provenía de la herida que tenía la anciana en la cabeza. Amelia se tiró de rodillas a su lado, buscándole, en aquella muñeca huesuda, el pulso. ¡Ahí estaba! Débil, muy débil, pero tenía pulso.

–¡Tía Willy! Háblame... por favor, dime algo.

–¿Amelia?

Su voz era frágil, prácticamente un susurro; nada tenía que ver con la voz de la Wilhemina que conocía y amaba.

–Estoy aquí, tía Willy. No te muevas. Voy a pedir ayuda.

Entonces se oyó la voz de Rosemary.

–¿Está herida? Dile que voy para allá.

–No, no lo hagas –le gritó Amelia–. Espera que vaya yo –añadió corriendo hasta la habitación de Rosemary. Tenía miedo de que su otra tía también se hiciera daño–. Ven conmigo –le dijo cuando llegó a su lado–, quédate con tía Willy mientras yo voy a por ayuda.

–¡Madre mía! –dijo la anciana cuando llegó, guiada por su sobrina, hasta la habitación de su hermana y la vio allí tirada. Entonces se puso a llorar.

–¡Tía Rosie! –gritó Amelia muy seriamente–. No puedes derrumbarte ahora, te necesitamos.

Rosemary se recompuso y se agachó al lado de Wilhemina. Tomó un paño que le ofrecía Amelia y lo apretó contra la herida.

—Rosemary, ¿eres tú?

—Sí, Willy soy yo. No te muevas. Amelia ha ido a buscar ayuda, ella lo solucionará todo, es una mujer muy capaz.

Amelia, en la planta de abajo, descolgó el teléfono. No había línea. No tenían ni electricidad ni línea telefónica, ¿cómo iba a conseguir ayuda? Lo único que podía hacer era salir a buscarla. Subiendo las escaleras de dos en dos, volvió a la habitación donde estaban sus tías.

—La herida ha dejado de sangrar, pero parece que se ha roto el tobillo. ¿Viene la ambulancia de camino? —preguntó Rosemary.

Amelia respiró profundamente e intentó hablar con calma.

—El teléfono no funciona. Me voy a cambiar de ropa e iré hasta la estación de policía. Ellos podrán llamar a una ambulancia.

Wilhemina levantó la cabeza.

—¡No, Amelia! La tormenta es muy peligrosa, te puede pasar algo.

—Estaré bien, prométeme que te estarás quieta, por favor.

—Confío en ti —dijo Rosemary—. Sé que lo que decidas hacer será lo correcto.

—Os quiero a las dos —dijo Amelia antes de marcharse.

Justo al abrir la puerta de la calle, un trueno desencadenó toda su fuerza sobre su cabeza. Con la luz de otro relámpago vio que la calle estaba bloqueada por un árbol caído; no podría ir en coche a ninguna parte. Sin dudarlo ni un instante, bajó los escalones del porche y se puso a correr bajo la lluvia.

La tormenta retumbaba en el exterior mientras Tyler daba vueltas en su cama. De pronto se despertó y se sentó sobre las sábanas. Asustado se preguntaba por qué se habría despertado en aquel estado de pánico. Su corazón latía con fuerza, como si hubiera estado corriendo, y aunque hacía frío el sudor le recorría la espalda y mojaba su frente. Antes de pensar en nada, descolgó el teléfono y se puso a llamar a Amelia. Colgó el auricular enfadado, no había línea. Alargó la mano para encender la luz de la mesilla, pero tampoco había luz. Se quedó allí, sentando en la oscuridad, intentando ignorar aquel miedo que se había apoderado de su cabeza.

–Algo va mal, lo sé, puedo sentirlo.

Se levantó y se acercó hasta la ventana. La lluvia caía con fuerza. Su cosecha necesitaba agua, no tendría que regar durante una buena temporada. Pero aquellos pensamientos no despejaron su miedo. ¿En qué estaba pensando cuando había intentado llamar a Amelia? Si sus tías hubieran escuchado el teléfono en mitad de la noche, se hubieran llevado un susto de muerte.

–¡Qué diablos! –murmuró para sí mientras se ponía unos vaqueros y se dirigía a la cocina. Iba a ser imposible que volviera a conciliar el sueño.

114

Quizá beber algo lo ayudase a despejar aquellos temores que sentía.

Sacó de la nevera una lata de refresco y empezó a bebérsela frente al porche, mirando cómo llovía. Olía a tierra mojada y poco a poco la tormenta empezó a amainar, pero no el sentimiento con el que se había levantado. Le dio el último trago al refresco y supo que estaba a punto de hacer algo muy estúpido, pero los hombres enamorados siempre hacían cosas estúpidas. Necesitaba ver a una mujer para poder tranquilizarse.

—¿Se va a poner bien? —volvió a preguntar Rosemary.

Amelia abrazó los pequeños hombros de su tía intentando no llorar. Habían estado esperando durante lo que a ellas les parecían horas en la sala de urgencias del hospital al que habían llevado a Wilhemina.

—Estoy segura de que sí, tía Rosie. Simplemente lleva un tiempo hacer las radiografías y obtener los resultados.

—¿Has llamado a Tyler? —preguntó la anciana.

Amelia negó con la cabeza.

—Los teléfonos deben de seguir rotos, he intentado volver a llamar y no he podido —contestó ella, y sonrió—. No te preocupes, volveremos a casa antes de que él sepa lo que ha ocurrido. Además, no somos su responsabilidad.

Rosemary se quedó mirando a su sobrina con los ojos muy abiertos.

–Por supuesto que lo somos, querida. Él te quiere. Querrá saber lo que nos ha pasado, se preocupa por nosotras.

Amelia volvió a sonreír, esta vez entre lágrimas. Su tía era muy inocente. Ya la habían abandonado una vez por la misma razón. Aquel novio que tuvo, al darse cuenta de que su novia tenía unas responsabilidades que él no quería asumir, salió corriendo. Su relación con Tyler era nueva. Nunca habían hablado de sus sentimientos, la palabra «amor» ni siquiera se había pronunciado.

Algo hizo que Amelia levantara la mirada. ¡Era Tyler! Venía corriendo por el pasillo hacia ellas.

–¿Cómo has sabido que estábamos aquí? –preguntó Amelia llorando.

Él la abrazó con fuerza.

–He tenido un horrible presentimiento, cariño. Lo único que sé es que me he levantado con un sudor frío y me he puesto a correr.

Amelia se apartó de él.

–Que tú ¿qué? –exclamó Amelia sorprendida.

–No importa –dijo él tomando su cara entre las manos. Ella estaba a salvo y era lo único que importaba.

–¿Ves?, querida. Te dije que se preocupaba –comentó la anciana.

Tyler se giró para ver a Rosemary.

–¿Sabéis cómo está Wilhemina? –preguntó él.

Amelia parpadeó.

–No sabemos nada. Llevan con ella mucho rato y nadie ha venido a decirnos nada.

Él frunció el ceño y le dio un beso en la frente.

–Ahora vuelvo –le dijo y se fue hacia la sala de enfermeras con una mirada muy intensa.

Rosemary intentó sonreír.

–Tyler lo arreglará todo, ¿verdad, querida?

Amelia suspiró.

–Eso espero, tía Rosie, eso espero.

No quería ni pensar en las consecuencias que tendrían que afrontar si tía Willy no se recuperaba; ella era un tercio de su mundo.

Un breve tiempo después, apareció Tyler, y las noticias que traía eran positivas.

–Tiene una pequeña contusión en la cabeza, un tobillo torcido y nada roto.

–¡Gracias a Dios! –exclamó Amelia. Se giró en dirección a Rosemary, pero la anciana se había quedado dormida sentada en el sofá de la sala de espera.

–Quieren que Wilhemina pase aquí la noche –explicó Tyler–. Quieren que vayas a ayudarlos a acomodarla.

Ella volvió a mirar a su tía.

–¿Te importaría echarle un vistazo? Está dormida como un bebé. No te molestará, yo no tardaré mucho, te lo prometo.

–Cariño, por supuesto que me quedaré con ella –dijo él tomándola por los hombros–. ¿Qué piensas, que sería capaz de irme y dejarla aquí sola? ¿No sabes lo mucho que ellas significan para mí?

Amelia se encogió de hombros.

–Cuando todo esto haya terminado –continuó Tyler hablando–, creo que debemos hablar tranquilamente, pero ahora vete a ayudar a tu tía, yo te esperaré aquí.

Era lo mejor que él hubiera podido decirle, ¡la esperaría! Entusiasmada, ella se echó a sus brazos y le dio un sonoro beso en los labios. Luego, se dio la vuelta y se fue corriendo.

Tyler se dejó caer en el sofá donde estaba Rosemary.

Eran casi las cuatro de la madrugada, cuando aparcaron cerca de la residencia Beauchamp. Rosemary dormía en el asiento trasero y Amelia, aunque estaba despierta, estaba pálida y agotada. Tyler se inclinó sobre ella y le dio un dulce y ligero beso en la comisura de los labios.

–No puedo acercarme más a la casa por culpa de ese árbol caído, pero puedo llevarla en brazos hasta su cuarto –dijo Tyler refiriéndose a Rosemary.

Mientras Amelia miraba, Tyler bajó a la anciana del coche. En brazos la llevó hasta el interior de la casa, subió las escaleras y la depositó sobre su cama. Entonces, Amelia se ocupó de ella.

–¿Está Willy bien? –murmuró entre sueños Rosemary.

–Sí. Deja que te ayude a ponerte el camisón. No te preocupes y duerme todo lo que quieras. Mañana no iré a la biblioteca, creo que me merezco el día libre después de esta noche.

Tyler la miraba desde el marco de la puerta. Cuando Amelia terminó con su tía, salió de la habitación, cerró la puerta tras ella y se abrazó a Tyler. Él la sujetó con fuerza, recorriendo su espalda de arriba abajo con las manos.

–Tienes frío –murmuró él al notar cómo temblaba ella–. Tu pelo aún está mojado, cariño. Necesitas un baño caliente y meterte en la cama.

–Lo haré, pero primero tengo que hacer otra cosa –contestó ella–. Abajo hay una ventana rota, necesito...

–Ve al baño inmediatamente –le ordenó con cariño–. Yo me ocuparé de la ventana. Es demasiado tarde para preocuparse de más cosas.

«Yo me ocuparé». Era lo más bonito que ella había escuchado en toda su vida. Amelia nunca hubiera pensado escuchar aquellas palabras de la boca de un hombre. De pronto se dio cuenta de que podría contar con Tyler. Un escalofrío recorrió su cuerpo. Aquello fue suficiente para que la tensión arterial de Tyler se disparase.

–Cariño –susurró él contra su mejilla, le tocó los labios con su boca, corazón contra corazón, hombre contra mujer. Aquello no era suficiente, Tyler la abrazó con fuerza.

Amelia sabía que aquel hombre quería todo lo que ella pudiese ofrecer, pero aquella noche no era el momento apropiado.

Tyler fue el primero en separarse y pensó que iba a morir de deseo. Quería a aquella mujer bajo las sábanas de su cama. Quería dormir con ella y despertarse a su lado el resto de su vida. La quería a su lado, para siempre, costase lo que costase. Estaba dispuesto a esperar.

–Métete en el baño, mujer. Si no tuviera que arreglar la ventana, me metería contigo.

Demasiado cansada para ruborizarse, lo obedeció. Se desnudó y se metió en la ducha. El hecho de que una de sus tías estuviese en el hospital y que la otra estuviese durmiendo al otro lado del pasillo no cambiaba nada. No podrían hacer el amor hasta que ella no le dijese toda la verdad. Tenía que encontrar la manera de explicarle que Amber y Amelia eran la misma persona. Tyler había ido tras Amelia cuando había sido rechazado por Amber, ¿cómo se sentiría cuando averiguase la verdad? Alzó la cara en dirección a la ducha. El agua se mezcló con sus lágrimas. Si no le decía la verdad pronto, se arrepentiría el resto de su vida. Cabía la posibilidad de que Tyler rechazara a ambas mujeres, entonces Amelia y Amber perderían al único hombre que habían querido de verdad.

–¿Lo has recogido todo?

Tyler se giró. La mujer que estaba en las escaleras era como sacada de un sueño. El pelo desordenado le caía por la cara y por la espalda. Aquellos impresionantes ojos verde azulados le estaban mirando fijamente. Llevaba un camisón de algodón blanco que le llegaba hasta los pies; estaba más sexy de lo que Amber había llegado a estar con su apretado vestido rojo. Tyler soltó las herramientas y se acercó hasta ella. Ella bajó el último escalón que los separaba y lo abrazó, mejilla contra mejilla.

–Nunca seré capaz de agradecerte suficientemente lo que has hecho esta noche.

Tyler podía sentir su pecho al apretarla con fuerza. Sus manos tomaron su cintura. Él soltó un leve gemido.

–Se me ocurren muchas maneras, y todas ellas son imposibles esta noche.

Amelia suspiró. Sabía que tenía razón.

–Venga, vete a la cama, yo cerraré la puerta cuando me vaya.

Ella asintió con la cabeza; cualquier cosa que Tyler dijese, a ella le parecía bien.

Para su sorpresa, él la levantó, como si fuera una pluma, y la llevó en sus brazos escaleras arriba. La puerta de su habitación estaba abierta. Tyler se quedó mirando a la cama vacía.

–¡Dios!, creo que esto no ha sido una buena idea.

Al depositarla encima de la cama, ella se lo quedó mirando... esperando.

Los ojos de Tyler se entrecerraron. Sabía que si lo intentaba ella no se negaría, pero no lo haría. La tapó con las sábanas.

–Amelia...

Ella quiso decir algo, pero no pudo.

–Te quiero –susurró él y salió de la habitación.

Amelia se lo quedó mirando mientras se alejaba. Después de oír aquello, ¿Tyler pretendía que ella durmiese?

–¿Tyler?

Él se dio la vuelta.

–¿Sí?

–Después de decirme eso, no pretenderás que me duerma, ¿verdad?

–Pues... sí –el brillo en los ojos de Tyler tenía una mezcla de asombro y de deseo.

–Bueno, ya sabes, si no haces mucho ruido...

Tyler tragó saliva con nerviosismo. No estaba seguro, pero lo iba a intentar. Miró la puerta cerrada al otro lado del pasillo y se imaginó la cara que pondría la anciana si supiese lo que él estaba considerando hacer.

–¿Estás segura? –susurró Tyler con una sonrisa pícara.

Amelia suspiró.

–Ahora mismo, de lo único que estoy segura es que si te vas, me arrepentiré toda la vida.

Tyler volvió a sonreír, cerró la puerta de la habitación, y se acercó a ella.

–Bueno, está contra mis principios hacer que una mujer se arrepienta de algo. Muévete, cariño.

Tyler se sentó sobre la cama, se quitó las botas y empezó a desabrocharse el cinturón. Quería decir algo, pero no sabía el qué. Ella se puso un dedo entre los labios en señal de silencio. Cuando Tyler se tumbó a su lado y la abrazó, la suavidad de su piel y la fragilidad de su cuerpo hizo que él temblara de emoción.

–Cierra los ojos, cariño. Simplemente déjate llevar y siente el amor –susurró Tyler contra su cuello.

Ella lo hizo.

Al notar el primer roce de aquellos labios contra su piel, Amelia se perdió. El romance de sus libros no se podía comparar con el peso de aquel cuerpo presionándola contra las sábanas, aquellos dedos explorando sus partes más íntimas. Aparte de los gemidos de placer, en la casa reinaba un silencio absoluto. En la calle, la tormenta había terminado, pero entre aquellas cuatro paredes no había hecho nada más que comenzar. Tyler esperó, casi hasta volverse loco, para introducirse en su cálido interior, y al hacerlo gimió de placer. Entonces empezó a moverse, avanzando y retrocediendo contra el cuerpo de aquella mujer que lo transportó hasta el mismísimo Cielo.

Amelia notó que Tyler se levantaba de la cama. Notó sus labios contra los suyos. La puerta se abrió y se volvió a cerrar. Al rato miró el reloj. Eran casi las diez de la mañana, y su tía Rosemary se había levantado.

Capítulo Diez

–¿Qué quieres decir con que hay un hombre con una sierra en la puerta? –preguntó Amelia mientras se ponía el camisón, salía de la cama y se metía en el baño. Su tía Rosemary estaba de pie, en el marco de la puerta de su cuarto. Afortunadamente, no se dio cuenta de que su sobrina había estado desnuda dentro de la cama.

–Bueno, no pasa nada. Tyler está en la cocina, él se ocupará de todo. He intentado hacerle el desayuno, pero me ha dicho que ya había comido algo.

–¿Has cocinado? –preguntó Amelia bajo el agua de la ducha.

Rosemary asintió con la cabeza y luego frunció el ceño.

–Bueno pero el resultado no ha sido el mismo que cuando lo hace Willy, no sé si he echado sal o azúcar, o ambos –contestó la anciana encogiéndose de hombros–. Nunca me acuerdo.

Amelia tomó una toalla y empezó a secarse la cara, aliviada de que su tía no hubiera prendido fuego a la cocina.

–Ya sabes que lo tuyo es la jardinería.

Rosemary sonrió.

—Es cierto, eso lo hago muy bien.

Amelia salió del baño y se acercó hasta el armario. Minutos después estaba entrando por la cocina. Tyler se dio la vuelta para verla.

—Tyler, parece ser que hay un hombre en la puerta con una sierra eléctrica.

Con una sonrisa en los labios, él se acercó a ella, y rodeando su cintura con los brazos, la besó sugerentemente.

—Buenos días a ti también, cariño. El hombre de la sierra es un vecino mío. Le he pedido el favor de que venga a cortar el árbol que ayer en la tormenta bloqueó la calle. A cambio se quedará con la madera. ¿Te parece bien?

Amelia aceptó su beso al igual que la explicación, pero sintió pánico.

—Me parece más que bien, y te agradezco todo lo que estás haciendo... pero no quiero que te sientas en la obligación de hacer nada.

Él torció el gesto.

—¡Diablos, Amelia Ann! Lo único que me fastidia es que insistes en que no te ayude. No voy a pedir que me pagues por ello... en especie... de nuevo —dijo sonriendo finalmente.

Ella no pudo evitar ruborizarse.

—No importa, cariño —añadió él—. ¿Por qué no vienes conmigo fuera? —dijo tomándola de la mano—. Quiero enseñarte lo que mi vecino está haciendo; además, ya he terminado de arreglar la ventana.

Tyler había pensado en todo.

–¡Ah! Un momento –dijo Amelia–. Antes voy a llamar al hospital a ver qué tal está mi tía Willy.

–Te espero fuera, sal cuando termines.

Amelia marcó el número de teléfono y esperó impaciente a que la conectaran. No se podía creer que tan solo unas horas antes había hecho el amor con Tyler. Le había dicho que la quería, pero ella no había contestado nada. No podría hacerlo hasta que no le contase la verdad. ¡Dios mío! ¿Cómo se había metido en aquel lío? Se mordió el labio inferior mientras se dejaba caer sobre la pared. Empezó a llorar, no sabía por qué se sentía tan cansada y deprimida. De lo único que tenía ganas era de meterse en la cama con Tyler y no volver a salir nunca más.

Finalmente alguien contestó el teléfono, Amelia suspiró aliviada al oír la voz inconfundible de su tía.

–¿Tía Willy? ¿Eres tú?

–¡Por supuesto que soy yo! –exclamó ella–. ¿Quién iba a contestar el teléfono en mi habitación si no? Y ¿por qué no estás aquí?

Amelia sonrió, su tía estaba mucho mejor.

–Porque me acabo de despertar –dijo ella volviendo a sonreír al oír lo enfadada que estaba la anciana–. Tía Willy... tía Willy… escúchame un momento, por favor. Estaré allí tan pronto como pueda, ¿de acuerdo? No puedo ir hasta que no quiten un árbol que está taponando la calle. En cuanto lo quiten, iré al hospital.

–Bueno está bien –murmuró ella. Odiaba estar en un sitio que no le era familiar. No le gustaba estar con gente desconocida–. ¿Cómo está Rosemary? Ya sabes que no puede estar sin mí.

Amelia odiaba tener que decírselo, pero tarde o temprano se enteraría.

–Ha cocinado.

Wilhemina carraspeó.

–¡Dios nos ayude! No la dejes sola cuando vengas a por mí. Tráetela contigo o no tendremos casa a la que volver.

–Sí, tía –dijo Amelia. De pronto oyó una risa masculina que venía de la calle. Había dejado a su tía Rosie demasiado tiempo en compañía del sexo opuesto–. Tengo que irme, hasta dentro de un rato.

–No tardes mucho –se quejó Wilhemina.

–No te preocupes, te quiero –contestó Amelia colgando el teléfono.

El teléfono se desconectó en el oído de Wilhemina, pero aquello no le impidió contestar a las últimas palabras de su sobrina.

–Yo también –dijo ella–. Simplemente no me había dado cuenta de lo mucho que te quería hasta ahora.

Wilhemina colgó el auricular y se acomodó en su cama. Si no hubiera sido por Amelia, nunca la hubiera recogido una ambulancia y nadie se hubiese hecho cargo de Rosemary en su ausencia. No sabía qué hubiera hecho sin ella. Mientras seguía tumbada en la cama, pensó en Tyler Savage y frunció el ceño. No lo quería en sus vidas. Si se llevaba a Amelia de su lado, ¿qué harían ellas? Era un pensamiento muy egoísta y Wilhemina lo sabía. Pero ella había dado la vida, primero por su hermana y luego por su sobrina; no era justo que las abandonara así.

Effie estaba de pie frente a su casa con su gato entre los brazos. Estaba mirando lo que estaba sucediendo en la casa que había al otro lado de la calle. Había visto a un hombre desconocido sacar una sierra eléctrica del maletero de una furgoneta, acercarse hasta el árbol caído que taponaba la calle y empezar a cortarlo ruidosamente. En ese momento salió Rosemary a la calle. Effie la saludó de una forma no muy afectuosa. Era muy difícil ser amable con una persona que sabía su aventurilla de juventud.

—Rosemary.

La anciana asintió con la cabeza.

—Willy vendrá hoy a casa. Ha sufrido una pequeña contusión y se ha torcido un tobillo. Necesitaremos una mano extra mientras Amelia está trabajando, y me preguntaba si estarías interesada. Recuerdo que solías ayudar a la señora Abercrombie después de la muerte de su marido.

Effie hizo una mueca.

—¿Quieres que yo esté en tú casa... contigo?

—Solamente durante el día —dijo Rosemary—. No podemos pagar mucho, pero...

—Estaré encantada —contestó Effie—. Y no necesitaréis pagarme nada. Después de todo, ¿para qué están los vecinos?

Rosemary sonrió.

–Estupendo. Mañana Amelia volverá al trabajo, ¿nos vemos a eso de las ocho?

Effie intentó disimular su entusiasmo. Estaba feliz de poder pasar unos días en compañía de alguien que no fuese su gato; además, siempre había querido la receta del pastel de café de Wilhemina.

Al otro lado de la calle, Tyler vio cómo salía Amelia de la casa. La saludó con la mano para atraer su atención.

–¡Amelia! Estamos aquí, cariño.

Ella se ruborizó. La había llamado «cariño» enfrente de todo el mundo... Aunque se alegraba de que lo hubiera hecho. Cuando se acercó a él, Tyler le pasó el brazo por los hombros mientras los dos veían cómo David, el vecino de Tyler, trabajaba con el árbol.

–Menos mal que no aparcaste el coche aquí, lo hubiera aplastado seguro –dijo David refiriéndose al coche rojo de Amelia.

Tyler sonrió a Amelia y la abrazó suavemente.

–Hubiera sido una pena, con todo lo que ha tenido que hacer para comprárselo –dijo Tyler soltándola y ayudando a su amigo a subir la madera a la camioneta.

Amelia se estremeció sorprendida ante aquellas palabras, «con todo lo que ha tenido que hacer». ¿Qué habría querido decir? Si hubiese sabido algo... estaba segura de que se lo hubiese dicho. Nerviosa, giró la cabeza para mirarlo, entonces se olvidó de lo que estaba pensando. Al ver aquellos músculos moverse se acordó de la noche que habían pasado juntos y del sabor de sus labios. Recordándolo encima de ella y dentro de ella sintió un escalofrío tan intenso que casi la hizo caer sobre el macizo de flores de su tía Rosie.

–¡Amelia! Cuidado con las petunias –exclamó su tía–. Son muy delicadas. ¿En qué estás pensando? ¿Acaso no las has visto? Querida, ten un poco de cuidado.

Si su pobre tía supiese en lo que estaba pensando...

–Lo siento, tía Rosie.

Tyler se acercó hasta ellas.

–Bueno –empezó a decir él–, tan pronto como...

–Nosotras nos ocuparemos de todo –lo interrumpió Amelia–. No hace falta que te molestes con nuestros asuntos.

La sorpresa en el rostro de Tyler fue patente, y Amelia deseó haberse mordido la lengua.

–¿Molestarme? –exclamó Tyler entrecerrando los ojos claramente enfadado y molesto por el comentario–. ¿Tú crees que me molesta ayudar a la gente que de verdad me importa?

–No he querido decir que...

–No importa, Amelia –dijo él brevemente–. Quizá tengas razón –Tyler la tomó por el brazo y la agitó levemente–. La verdad es que has dado en el clavo, Amelia Ann. Me has estado molestando desde el momento en que me di cuenta de que había una mujer escondida detrás de esas gafas. Estoy molesto todo el día y, cariño, deja que te diga, que las noches son un infierno, pero... –Tyler la soltó y la miró fijamente a los ojos–, deberías ponerte de rodillas y darle gracias al Señor porque por fin he entendido tu mensaje. Si alguien te vuelve a molestar, estate segura de que no se tratará de mí.

Se dio la vuelta, cruzó la calle, se metió en su camioneta dando un portazo y se fue.

Amelia lo hubiese seguido. Le hubiese gritado que lo sentía, suplicado que la perdonase, pero no pudo. Tenía un nudo en la garganta que no la dejaba respirar y los ojos totalmente cegados por las lágrimas por haber insultado y rechazado al hombre que amaba.

–¡Madre mía! –exclamó Rosemary al darse cuenta de que Tyler se había ido–. No me ha dado tiempo de despedirme.

Amelia la miró.

–Ni a mí, tía Rosie, ni a mí.

Entonces rompió a llorar desconsoladamente.

A Wilhemina la había encolerizado la presunción de su hermana de que necesitaban ayuda y, lo que había sido mucho peor, que se la había pedido a la cotilla de Effie Dettenberg. Pero asombrosamente, desde el primer día, las tres mujeres habían conectado. Cada mañana, Amelia se iba a trabajar justo en el momento en que

Effie cruzaba la calle y llegaba a la casa. Simplemente se limitaban a saludarse con la mano; para Effie era suficiente y Amelia era incapaz de hacer nada más. Pronto las tres ancianas consiguieron una cómoda rutina y sus vidas volvieron a la normalidad. Pero aquello no era el caso de Amelia. Desde que Tyler se había ido tan enfadado no lo había vuelto a ver. Habían sido los ocho días más largos de toda su vida. Durante el día tenía ansiedad y las noches las vivía como un tormento. Cuando no pensaba en él, soñaba con él. Tenía el cuerpo agotado, el corazón dolorido. Sabía lo que quería: quería a Tyler.

Amelia colocó el último libro en una estantería de la biblioteca. Era hora de cerrar. Se fue al baño a refrescarse un poco. Aquel día no volvería casa, al menos no directamente. No quería pasarse otra noche en vela recordando la mirada de dolor en los ojos de Tyler. Se acercó al espejo, parpadeando rápidamente mientras se ajustaba las lentillas. Ya no usaba sus gafas. La noche anterior, después de cenar, las dejó un momento en la encimera de la cocina y cuando fue a ponérselas otra vez no las pudo encontrar. Seguramente su tía Rosemary las habría puesto en algún lugar, así que cualquier día acabaría apareciendo. Amelia se soltó el pelo y se lo cepilló. Ya había llamado a casa para preguntarle a Effie si podría quedarse un poco más para acostar a sus tías. No había entrado en detalles. Precisamente Effie no era la persona más indicada para contarle que iba a ir a la casa de un hombre para suplicarle su perdón. Cerró la biblioteca, se metió en su coche rojo y se dispuso a salir de Tulip. Tenía que ver a un hombre, tenía que conseguir que le volviera a sonreír.

Tyler dio un portazo mientras entraba en su casa. Otro largo día había pasado y otra vez volvería a pasar la noche solo. Se quedó mirando el contenido de su nevera y cerró la puerta con un suspiro. No quería comer, quería a Amelia.

Habían sido los ocho días más largos de su vida desde que se había ido de la casa de Amelia. Había llegado a la conclusión de que si algo sucedía entre ellos dos, sería por decisión de Amelia. Por eso había esperado, pero ella no lo había llamado. Cada día que pasaba tenía menos esperanzas de que aquello sucediera. Se encogió de hombros y se empezó a desabrochar la camisa caminando hacia la ducha.

Amelia aparcó su coche y aguardó unos instantes, esperando que Tyler saliera. Pero la puerta no se abrió. Se disgustó consigo misma por dudar tanto en algo tan importante.

–Está bien –murmuró–, pueden ocurrir dos cosas: o me perdona o no me perdona. Se olvidó de Amber con disgusto. Quizá se olvide de mí con frustración.

Las lágrimas empezaron a caer por sus mejillas. Le temblaban las rodillas según salía del coche. Subió los escalones del porche, llamó a la puerta y empezó a rezar.

Recién salido de la ducha, Tyler escuchó que alguien llamaba a su puerta.

—¡Diablos! —exclamó—. ¡Qué oportuno!

Se puso apresuradamente unos vaqueros y una camiseta sobre su cuerpo aún mojado. Bajó las escaleras hasta la puerta principal. Una pared de dolor se interpuso delante de él cuando vio a la mujer que había en la entrada de su casa.

Amelia contuvo la respiración. Esperó que él diera el primer paso, pero el miedo de su mirada la asustó todavía más. Finalmente las lágrimas empezaron a caer por sus mejillas.

Tyler no podía verla llorar. Se acercó y la rodeó con los brazos.

—Ven aquí —dijo.

—Lo siento, no fue mi intención el...

La boca de Tyler impidió a Amelia terminar la frase. Ella se fundió entre sus brazos y se dispuso a complacer sus demandas. Para Tyler, Amelia llevaba demasiada ropa puesta. Le tomó la cara entre las manos, deslizando los dedos por los rasgos de su rostro, sus mejillas, su barbilla, deslizándose por la delicada curva de su cuello.

—Estoy encantado de verte, cariño, pero necesito saber por qué estás aquí.

Amelia asintió con la cabeza. Le parecía justo.

Apoyó la frente en su hombro, intentando buscar las palabras adecuadas para explicar lo que había en su corazón, pero la piel de Tyler estaba caliente, su cuerpo estaba duro y ella estaba teniendo muchas dificultades para poder pensar. Finalmente, simplemente deslizó los brazos alrededor de su cintura y se echó hacia atrás; era mejor si le veía la cara.

–He venido para decirte que lo siento.

Tyler se relajó y apretó la parte inferior de su cuerpo contra ella.

–¿Qué más? –preguntó él repitiendo el movimiento anterior.

Amelia miró hacia el suelo, tenía que decirle la verdad, pero ¿estaba preparada para hacerlo?

–¿Qué más, Amelia? –repitió él.

–Tengo que decirte que yo...

Tyler se movió otra vez, sensual y firmemente.

–Decirme, ¿qué? –insistió sin dejar de moverse.

–Decirte que me estás volviendo loca, que no sé ni lo que hago. Que no puedo dormir, ni comer. Yo...

Estaban tan cerca como les permitía la ropa que llevaban puesta.

–He captado el mensaje, ¿has captado tú el mío?

Amelia empezó a temblar, pero apartarse de aquel hombre y de lo que de ella quería, era imposible. Su pulso se aceleró mientras deslizaba un dedo por su musculoso pecho. Soltó un gemido al notar su parte inferior, dura de deseo y tomó sus grandes manos y las puso sobre su propio pecho.

Tyler también gimió de placer. Momentos después la llevaba en brazos, sin dejar de mirarla a los ojos, escaleras arriba, hasta su cuarto y, dándole un beso en la boca, la depositó sobre su cama. Permaneció de pie, mirándola. Ella miró hacia abajo, vergonzosa con el hombre que había robado su corazón. Él se sentó a su lado y la tomó de la barbilla.

–No lo hagas, Amelia. No apartes la mirada de mí, no lo hagas nunca más. No quiero que haya más secretos entre nosotros, ¿de acuerdo?

Amelia se estremeció.

–Tyler, hay algo que yo debería...

Pero él le quitó la blusa y ella se olvidó de lo que iba a decir. Cuando se tumbó en la cama, admirando la magnificencia de su cuerpo, Amelia no pensaba en nada más que en alcanzar el Cielo.

El pequeño envoltorio que él sacó del cajón de la mesilla de noche fue su último acto racional, porque cuando los brazos de Amelia lo rodearon, Tyler se deslizó entre sus piernas tratando duramente de no morir de placer.

La respiración les sobrevenía en forma de pequeños jadeos, uno detrás de otro, acompañando sus movimientos rítmicos. Mantenían encendido un fuego ardiente, mientras se amaban y hacían el amor.

Amelia estaba perdida en un mundo de sensaciones y de emociones. Podía sentir a Tyler contra ella. Estaba dispuesta a tomar todo lo que él estaba dispuesto a dar, e incluso más. Llegó hasta un éxtasis de placer y gritó su nombre. Él la oyó, pero estaba demasiado excitado como para hablar así que le dio la única respuesta que era capaz de darle en aquel momento. Con un gemido final, mandó una espiral de calor al interior del cuerpo de Amelia y olas de placer los envolvieron hasta que ella se desvaneció debajo él. Aquello complació a Tyler, que hundió el rostro entre el valle de sus pechos para esconder una sonrisa. Ella quizá fuese tímida, pero en la cama era más que una mujer.

Con un murmullo de voz, Amelia deslizó los dedos entre su pelo negro.

–Tyler... Tyler.

–¿Eso es todo lo que puedes decir, cariño? –dijo él sonriendo mientras ella se sonrojaba.

Amelia lo miró a los ojos. Había muchas cosas que debía haber dicho a aquel hombre, pero aquel no era el momento. Lo que acababa de pasar era más que un sueño. Él le había robado el corazón. Por primera vez en su vida, Amelia supo lo que realmente significaba amar, amar en cuerpo y alma.

–¡Oh, Tyler! Sí, Tyler es lo único que puedo decir, al menos por ahora, pero después tenemos que hablar.

Él sabía lo que a ella la molestaba. Estaba a punto de decirle lo de su doble vida. ¿Cómo iba ella a reaccionar cuando se enterase de que él lo sabía desde prácticamente el principio? ¿Cómo se lo explicaría para que ella no se enfadase?

Tyler la abrazó con fuerza, ¡diablos, estar enamorado no era nada fácil!

–¿Tyler? –dijo Amelia vacilante. Su voz era un susurro.

–¿Qué, cariño?

–¿Podemos hacer esto una vez más... antes de que yo me vaya?

Tyler soltó una sonora carcajada mientras se abrazaba a ella y entrecruzaban las piernas.

–Será un placer, Amelia Ann.

Y así lo fue.

Capítulo Once

Tyler condujo hasta la residencia Beauchamp en el viejo Chrysler azul. Respiró aliviado al apagar el motor. El coche había llegado sano y salvo sin que se le rompiera nada.

Estaba ansioso por ver a Amelia. La llegada inesperada a su granja había desatado la pasión entre ellos. Simplemente el hecho de pensar en ella haciendo el amor lo hacía sudar. Intentó concentrarse en otras cosas. Wilhemina tendría un ataque al corazón si él entraba en su casa con la libido subida. Pero tenía que hacer todo lo posible para agradar, Amelia y sus tías venían en un mismo paquete de tres.

Amelia estaba esperando a Tyler mirando por la ventana. Sabía que a su tía Willy no le gustaba Tyler, y no sabía cómo demostrarle que amar a aquel hombre no significaba que fuese a dejar de quererla a ella o a tía Rosie.

Sonó el timbre de la puerta, era él. Tarde o temprano tendría que confesarle la verdad o lo perdería para siempre.

Rosemary se levantó de un salto. Se atusó el pelo y se recolocó su collar de perlas.

–Ya está aquí –dijo mientras sus mejillas se sonrosaban levemente.

Amelia sonrió.

–Abro yo –dijo yendo hacia la puerta.

No lo había vuelto a ver desde la noche que pasaron juntos. Wilhemina miró a su sobrina mientras abría la puerta. Estaba resentida al darse cuenta de que su hermana y Amelia habían hecho amistades con el enemigo. La hacía sentirse apartada y abandonada por las dos personas que más quería en el mundo. ¿Cómo podía importarles aquel hombre más que ella? ¿No sabían que no se podía confiar en los hombres?

–¡Hola, Tyler! Me alegro de que hayas llegado. ¿Has tenido algún problema con el Chrysler? –dijo Amelia sonriendo.

–Yo también me alegro de haber venido –dijo él en voz baja.

Tyler tomó la mano de Amelia y miró sonriendo a Rosemary y luego a Wilhemina.

–Señorita Wilhemina, espero que esté recuperándose bien –añadió él.

–Gracias, Tyler. Sí, estoy muy bien –contestó la anciana. Aquel hombre era demasiado encantador para tenerle manía.

–Me alegro, porque tengo una proposición que os puede interesar.

Wilhemina apretó los labios.

–Ahora que Amelia tiene su nuevo coche, me pregunto si estarían interesadas en vender el viejo Chrysler –explicó él sonriendo.

Wilhemina tenía que reconocer que era muy buena idea. No lo necesitaban y así evitarían el riesgo de que Rosemary se sintiese tentada de volver a conducirlo. Había sido un milagro que no le hubiera pasado nada.

–Si vendemos nuestro coche, ¿cómo iremos a los sitios? Es obvio que Amelia no estará por aquí mucho tiempo.

En el momento que terminó de decir aquello, Wilhemina se arrepintió de haberlo dicho. La cara de culpabilidad de Amelia era muy dolorosa para todos.

Rosemary carraspeó. Era la primera vez en toda su vida que veía a su hermana Wilhemina comportarse de forma egoísta.

–¡Willy! Qué cosas dices. Amelia tiene derecho a tener su propia vida. No tiene ninguna obligación en hacer de niñera con nosotras. Debería darte vergüenza.

Los ojos de Tyler se entrecerraron mientras pensaba en las palabras adecuadas. Sabía lo que Wilhemina estaba tramando. Eso probaba que la culpabilidad tenía mucho que ver con el secreto de Amelia. Si hubiera tenido una vida normal, nunca hubiera considerado esconder su identidad en su segundo trabajo.

–Usted sabe perfectamente lo que más les conviene, señorita Wilhemina –dijo él tranquilamente–. Pero déjeme que les diga una cosa. Cuando le pedí permiso para cortejar a Amelia, no tenía ninguna intención de apartarla de su lado, todo lo contrario. Desde el principio supe

141

que si alguna vez tuviera la gran suerte de que Amelia fuera mi mujer, usted y su hermana vendrían con ella. Contaba con conseguir tres mujeres al precio de una –añadió Tyler guiñándole un ojo.

Wilhemina se ruborizó al oírlo y Amelia tuvo que contener las lágrimas.

–Tendré que pensar lo del coche. No creo que nos den mucho dinero, es muy viejo –dijo Wilhemina.

–Quizá se lleve una sorpresa –apuntó Tyler–. Si quiere venderlo, dígamelo. Tengo un amigo en Atlanta que compra coches viejos para arreglarlos. Seguro que está interesado en comprar el Chrysler por un buen precio.

–¿De verdad? Bueno entonces, supongo que debes darle nuestro número de teléfono –contestó Wilhemina. Para ser sincera, no tenía ninguna intención de volver a conducir un coche en mi vida.

–De acuerdo –dijo Tyler intentando no sonreír–. Si llama, no acepte nada por debajo de los cinco mil dólares. Manténgase firme y él pagará.

–Pero si eso es más de lo que cuesta nuevo –exclamó sorprendida Wilhemina.

–Sí, pero tiene carácter y por eso vale más, le pasa como a las personas –dijo Tyler sonriendo abiertamente.

–Podríamos comprarnos un lavavajillas nuevo –exclamó Rosemary muy contenta.

–Voy a llevar a Tyler, ya le hemos robado suficiente tiempo por hoy –dijo Amelia sonriendo.

–¡Oh, no! Puedes robarme todo lo que quieras, soy todo tuyo –bromeó Tyler.

Amelia intentó no ruborizarse mientras tomaba su bolso y las llaves.

–¿Tienes que hacer alguna cosa? ¿Dónde quieres que te lleve? –preguntó mientras se acomodaban dentro del coche.

–Quiero que me lleves a mi casa y quiero hacer el amor contigo.

Ella soltó una carcajada y arrancó el motor del coche.

Un reguero de ropa se extendía desde la entrada principal de la casa de Tyler, hasta los pies de su cama.

Tyler estaba tumbado de lado, apoyando la cabeza sobre una mano mientras con la otra acariciaba las curvas del cuerpo de Amelia.

–¿Amelia...?

Ella soltó un gemido y cerró los ojos disfrutando de sus caricias.

–¿Qué?

Él se inclinó y la besó en un pezón.

–Me encanta tu pelo. ¿Por qué no lo llevas suelto más a menudo? –dijo poniéndose encima de ella. Moviéndose suavemente vio con satisfacción cómo a Amelia se le dilataban las pupilas con renovada pasión –. Me encantan tus ojos, creo que no conozco a nadie que los tenga de ese mismo color.

Amelia se quedó congelada. Sí, sí que había conocido a alguien con los ojos de ese color. Tyler empezó a moverse rítmicamente contra ella, y Amelia se olvidó de lo que estaban hablando y de la pobre Amber.

Tyler le abrochó el último botón de su vestido y, bromeando, impidió a Amelia que se pusiera sus horquillas en el pelo.

–Venga, Tyler. Sabes perfectamente que como aparezca así por mi casa, a mi tía Willy probablemente le dé un ataque al corazón.

–¿Qué pasará con nosotros si tu tía no quiere aceptarme? ¿Con quién te quedarías, con ellas o conmigo?

A Amelia se le llenaron los ojos de lágrimas.

–No quiero tener que elegir, ¿por qué no puedo teneros a todos?

Tyler la abrazó con ternura.

–Cariño, no era mi intención hacerte elegir. Estoy feliz de poder teneros a las tres.

Amelia suspiró. Aún había muchos problemas que necesitaba resolver antes de ser feliz con Tyler.

–Lo sé, pero no sé si eres consciente de lo que ello significa –dijo ella–. Nunca abandonarían su casa y algún día, no muy lejano, no podrán vivir solas. Es inevitable.

–Bueno, pues ya lo solucionaremos cuando llegue el momento. Ahora concentrémonos en nuestros sentimientos.

Estaban enamorados, acababan de hacer el amor y ella aún no le había contado la verdad.

¿Cómo reaccionaría Tyler cuando lo supiese todo?

–Está anocheciendo, me tengo que ir. No quiero que mis tías se preocupen.

Mientras se dirigían al coche, Tyler suspiró. Otro día pasaba sin que ella le contase la verdad. Algún día Amelia reuniría el coraje para hacerlo, y cuando llegase aquel momento, él también tenía algo que decirle a ella.

–Te quiero, Amelia.

Ella lo rodeó con los brazos y lo besó en los labios.

–Yo también te quiero, Tyler Dean.

Capítulo Doce

Wilhemina estaba de pie, en el porche de su casa, mientras veía al hombre de Atlanta alejarse en el Chrysler. Rosemary reprimió un sollozo.

–Realmente quería a ese coche –dijo con pena.

–Lo sé, hermana, pero ha merecido la pena –dijo Wilhemina con un cheque de cinco mil dólares en la mano.

–Nunca hubiera sido posible sino llega a ser por Tyler.

Wilhemina sonrió. Odiaba admitirlo, pero su hermana tenía razón y también tenía que admitir que Tyler era un buen chico. Precisamente en aquel momento aparcó su camioneta frente a ellas. Rosemary corrió a recibirlo.

–¡Hola, Tyler! Si hubieras venido hace cinco minutos, hubieras visto a tu amigo de Atlanta –dijo Rosemary.

Tyler salió del coche y le dio un beso en la mejilla. Wilhemina frunció el ceño al ver cómo su hermana aceptada aquellas familiaridades.

–Señorita Wilhemina.

–Amelia no está –contestó ella bruscamente.

–Ya lo sé. No he venido a verla a ella, he venido a verla a usted.

La anciana se ruborizó.

–Supongo que querrá entrar –añadió Wilhemina encogiéndose de hombros.

–Si no le importa, preferiría sentarme aquí, en el porche. Como he venido directamente de ver mis cultivos, no estoy lo suficientemente limpio como para sentarme en su sofá.

Rosemary dio una palmadita.

–Iré a por algo frío de beber –dijo antes de irse a la cocina.

Wilhemina se sentó. No necesitaba hablar con él. Estaba muy claro que Tyler no la soportaba. Nunca había gustado a ningún hombre, pero aquello no le importaba en absoluto, a ella tampoco le gustaban los hombres.

–¿Qué te trae por aquí? –preguntó Wilhemina.

–Usted –contestó Tyler con tranquilidad mientras se sentaba frente a ella–. Como sabe perfectamente, usted y la señorita Rosemary son las dos personas más importantes en la vida de Amelia. Personalmente creo que son muy afortunadas, me parece muy difícil que tres mujeres vivan juntas bajo el mismo techo y sigan siendo amigas, al mismo tiempo que familia.

Wilhemina parpadeó. Era una observación que ella nunca había considerado. Tenía que admitir que tenía razón.

–Bueno, ¿adónde quieres llegar, Tyler Dean? Supongo que todo esto es para decirme que te quieres llevar a Amelia.

El tono de su voz entristeció a Tyler. Podía ver cómo la anciana luchaba contra sus sentimientos. También sabía que ella preferiría morir antes de llorar enfrente de él.

–No. No quiero llevarme a Amelia lejos de ustedes. Lo que quiero es que la compartan conmigo.

Después de cuarenta años conteniéndose las lágrimas, Wilhemina empezó a parpadear incapaz de conseguirlo. Tyler educadamente le ofreció un pañuelo y apartó la mirada, dándola tiempo para recomponerse.

–Gracias –dijo ella resistiéndose a sonarse la nariz. No le parecía correcto, puesto que debería devolverle el pañuelo.

Aquellas palabras la habían emocionado. A pesar de la mala reputación que aquel chico había tenido, había que tener en cuenta que se había comportado muy bien con su sobrina desde el primer día que había entrado en su vida. Probablemente, los rumores sobre él no tendrían ningún fundamento. Suspiró profundamente y se acomodó sobre la silla.

Tyler la miraba con el rabillo del ojo. Podía ver que la anciana tenía los sentimientos a flor de piel. Aquellas lágrimas demostraban a Tyler el amor que Wilhemina sentía por Amelia. Sabía que aquella mujer quería lo mejor para su sobrina. Que se estaba debatiendo entre su sentido común y su rechazo por la especie masculina. Por primera vez Tyler tuvo un atisbo de esperanza.

–¿Qué opina? –preguntó conteniendo la respiración y rezando por que le diera una buena respuesta.

–Bueno, creo que lo que yo opine no tiene mucha importancia. Amelia hará lo que ella quiera –contestó Wilhemina mirándolo fijamente.

Aquello no era lo que Tyler quería oír, pero al menos no era una negativa.

–Entonces no creo que conozca a Amelia tanto como cree –dijo Tyler–. Si usted se opone, ella no hará nada contra sus deseos, incluso si eso supone quedarse sola el resto de su vida.

Wilhemina se quedó sobrecogida, había estado tan ofuscada que no había considerado el futuro, y para Amelia significaría soledad.

–¡Madre mía! No había pensado en eso –dijo con la mirada perdida–. Supongo que piensas que soy una vieja egoísta.

–No creo que sea egoísta. Creo que es una mujer con un corazón lleno de amor, Wilhemina. Simplemente deme una oportunidad. No les pediré mucho... excepto que me inviten a comer de vez en cuando.

Ella se había quedado sin habla, emocionada ante aquel comentario.

Rosemary se acercó con una bandeja con vasos y una jarra de limonada. Tyler se puso de pie y la ayudó a depositarla encima de la mesa.

–Qué buena pinta tienen estas galletas. ¿Las ha hecho usted, señorita Rosemary?

–Yo no cocino tan endiabladamente bien como mi hermana.

–¡Rosemary! No blasfemes –dijo Wilhemina enfadada.

–No he blasfemado –insistió Rosemary mientras servía la limonada–. Mi hermana cocina muy bien, las ha hecho ella.

–Bueno, pues me conformo con que Amelia cocine la mitad de bien que usted, señorita Wilhemina.

Rosemary miró a su hermana y se sorprendió al verla. ¡Wilhemina estaba sonriendo!

Amelia estaba aparcando su coche frente a su casa. Se puso contenta al ver la camioneta de Tyler y cuando lo vio sentado en le porche, bebiendo limonada y tomando galletas con sus tías, se quedo sin habla. ¿De qué estarían hablando?

El pánico se apoderó de ella. Nunca había avisado a sus tías de que Tyler no conocía su vida como Amber, que Tyler no sabía nada sobre su trabajo en el club. Nunca les dijo que no dijeran nada.

–Hola a todo el mundo –dijo Amelia con un hilo de voz.

Tyler se puso de pie inmediatamente. Ello lo miró a él primero y luego a sus tías. Entre ellos también se entrecruzaron miradas. ¿Qué había pasado? ¿Habrían estado discutiendo?

–Qué sorpresa. No sabía que vendrías, Tyler. Él sonrió.

–No lo había planeado, pero pasaba por aquí

y no he podido evitar detenerme un rato. Después me han ofrecido las mejores galletas del mundo...

¿Qué demonios había pasado? Amelia los miró a todos detenidamente. Estaría soñando, porque juraría que había visto a su tía Wilhemina sonreír.

Tyler sabía que Amelia estaba nerviosa, podía verlo.

–No te preocupes, cariño –dijo suavemente, dándole un beso en la frente–. Solo hemos estado hablando.

Rosemary dio unas palmaditas.

–¿Cuándo será la boda? –preguntó entusiasmada.

Wilhemina frunció el ceño.

–¡Rosemary! ¿Dónde están tus modales? ¿Qué pensará Tyler de nosotras?

Amelia notó que se desmayaba.

–¡Tía Rosie! ¿Por qué dices eso? –exclamó con el corazón desbocado. Poner a un hombre entre la espada y la pared era lo peor que se podía hacer. Siempre echaban a correr.

En aquel momento Tyler se echó a reír. Lo hizo suavemente, pero poco a poco se convirtió en una sonora y alegre carcajada, no podía parar. Echó la espalda hacia atrás y las lágrimas empezaron a caer por sus mejillas.

–¡Madre mía! No pretendía decir nada malo, yo... –dijo Rosemary muy apurada.

–Todo lo contrario –dijo entrecortadamente Tyler sin parar de reír.

Amelia se dio la vuelta y se fue corriendo escaleras arriba completamente humillada.

–Amelia, cariño, no te enfades –exclamó Tyler poniéndose serio y corriendo tras ella–. Te doy dos horas para que te arregles, Amelia Ann. Luego, vendré a recogerte para salir a cenar. Y después iremos a mi casa y hablaremos... y no quiero ni una queja, ¿de acuerdo?

Ella suspiró y asintió con la cabeza.

La conversación durante la cena había sido un tanto forzada. De hecho, Amelia no tenía ni idea de lo que habían hablado. Tenía la mente en la conversación que tendrían más tarde y en todas las cosas que tenía que decirle.

Cuando se aproximaron a la casa de Tyler, a ella se le llenaron los ojos de lágrimas. Estaba segura de que él iba a romper su relación con ella, pondría cualquier excusa para no volverla a ver. Intentó desesperadamente no ponerse a llorar. Sobreviviría. Aquello ya le había sucedido anteriormente y lo había superado. Lo volvería hacer.

Entonces, cuando levantó la mirada para ver el perfil de Tyler, iluminado por las luces del salpicadero, se dio cuenta de que nunca sería capaz de olvidar a aquel hombre ni de superar nada. Sería como perder una parte de ella misma.

Tyler aparcó y apagó el motor de la camioneta. Se inclinó sobre ella y la besó tiernamente en la boca.

–Vamos dentro y hablemos –susurró sonriendo.

Una vez dentro, Amelia era incapaz de mirarlo a la cara. ¿Por dónde podría empezar? ¿Admitiendo a Tyler su fraude? Respiró profundamente y se giró hacia él. Pero Tyler estaba más cerca de lo que ella pensaba; de hecho, estaba tan cerca que cuando se dio la vuelta sus labios se tocaron. La besó sensualmente, abrazándola, procediendo a explorar lo que ella no tenía pensado ofrecerle. Amelia se echó hacia atrás. Quizá fuese la última vez que estuviera con él, la última vez de ser feliz con él. Pero todo se olvidó cuando él la volvió a abrazar y sin saber cómo empezaron a desnudarse, terminando en su cama.

–Amelia, te quiero... te quiero mucho –dijo él, recorriendo su piel mientras la besaba.

–Yo también te quiero, Tyler –murmuró ella estremeciéndose ante sus caricias–, pero no quiero que te sientas presionado por lo que te ha dicho mi tía Rosie.

–Lo siento, cariño, pero es imposible. Si noto un poco más de presión, explotaré –murmuró él.

Amelia empezó a recorrer su cuerpo, moviendo las manos de tal manera que Tyler pensó que se iba a volver loco. No pudo aguantar más y se puso sobre ella, pero Amelia continuó estimulándolo y se le llenaron los ojos de lágrimas al ver la felicidad en los ojos de Tyler. Ella era capaz de darle más placer de lo que pensaba.

–Hazme el amor, quiéreme –susurró Amelia rodeándole el cuello con los brazos.

–Siempre –prometió Tyler antes de perderse en un mar de sensaciones.

Ella se arqueó para recibirlo, no podía pensar en nada, solo sentir placer. Tyler le demostró, de la única manera que pudo, lo mucho que ella significaba para él. La pasión superó la locura. Finalmente, Tyler se desplomó a su lado, agotado, pero increíblemente satisfecho.

–¿Tyler? –dijo Amelia suspirando.

No podía perder aquel hombre. Mejor tarde que nunca.

Tyler giró la cara hacia ella. Por fin Amelia iba a hablar, por fin se lo iba a contar, podía sentirlo.

–¿Qué, cariño?

–Hay algo que he estado esperando decirte durante mucho tiempo.

–Yo también, cariño –la interrumpió Tyler–. He estado pensado cuándo podría pedirte que te casaras conmigo. Creo que ahora es un buen momento.

–¡Madre mía! Pero yo... es que yo... –entonces Amelia se quedó paralizada y empezó a llorar.

Era lo que había deseado oír desde que vio aquel hombre la primera vez en las calles de Tulip. No se podía creer que se lo hubiera pedido antes de que ella le confesara la verdad. ¿Qué pasaría?

–No llores, Amelia, por favor. No llores. Por Dios, cariño. Se supone que no te tendría que entristecer. Simplemente quiero pasar el resto de mi vida a tu lado, ¿es eso malo?

Las lágrimas empezaron a caer cada vez más deprisa por la cara de Amelia, y además, le entró hipo.

–No lo entiendes...

Tyler suspiró y tomó su cara entre las manos.

–Entiendo más de lo que tú crees, y aun así sigo queriendo casarme contigo... pero con una condición.

Ella se quedó tensa, a la expectativa.

–La condición es –continuó él con una sonrisa burlona–, que seas Amelia durante el día, durante el resto de nuestras vidas... ¡pero tienes que ser Amber por la noche!

La boca de Amelia se abrió con sorpresa, él lo sabía. La indignación empezó a formarse en aquellos ojos verde azulados.

Tyler la abrazó y se deslizó entre sus piernas.

–Bueno, ¿lo serás? –dijo antes de besarla.

–Que Dios me ayude –contestó ella suspirando y cerrando los ojos. Una sonrisa de placer iluminó su cara–. ¿Cómo una mujer te puede decir que no?

Epílogo

Wilhemina sacó un pañuelo para secarse las lágrimas. No quería llorar enfrente de toda la congregación, pero la gente lo entendería. Era muy normal llorar en las bodas. Rosemary estaba sonriendo llena de felicidad al lado de su hermana, y Amelia estaba a punto de entrar.

Entró por el pasillo Raelene Stringer. Estaba más que orgullosa de ser la dama de honor de su amiga. El órgano de Effie Dettenberg comenzó a sonar. A Amelia se le hinchó el corazón de felicidad. Se iba a casar con el hombre que la esperaba al final del altar. Respiró profundamente y comenzó a andar en aquella dirección.

Tyler contuvo la respiración al verla. Estaba guapísima. Cuando ella llegó a su lado, se dieron la mano y el cura comenzó la ceremonia. Amelia giró la cara y miró a Tyler. Le sonrió sensualmente y le guiñó un ojo, dejando asomar la parte más pícara de Amber.

Tyler contuvo la risa y le apretó la mano con fuerza. Algo le dijo que aquel matrimonio iba a ser un paseo salvaje por la vida, y personalmente no podía esperar.

Parecía que el detective Noah Sommers por fin había encontrado la horma de su zapato. Deseaba tanto a la sexy Natalie Hastings que habría hecho cualquier cosa por conseguirla... incluyendo darle cobijo después de que un accidente la dejara amnésica, o protegerla de un acosador. Pero lo que le resultaba más difícil era mantenerse alejado de ella hasta que recuperara la memoria.

A Natalie se le había derrumbado el mundo, y solo podía contar con el atractivo Noah. Lo deseaba a todas horas, pero no había contado con que él se comportara como un caballero. Pero no duraría mucho tiempo, porque el plan de seducción de Natalie no podía fracasar. Sin embargo, Noah no era realmente el hombre que ella pensaba...

¡Atención lectora!

A partir del próximo mes de agosto la colección SUPERJAZMÍN se llamará SENSACIONES. Son tus historias de amor, pasión y emoción de siempre, pero queremos darle un aire nuevo al diseño para que se acerque cada día más a TI.

Recuerda, SENSACIONES te espera en tu punto de venta habitual.

Sensaciones

Nº 471

Cartas a Kelly

Jax Winchester había pasado años encerrado en una prisión de Centroamérica por un crimen que no había cometido y eso le había impedido estar con la mujer que amaba. Pero ahora era un hombre libre... ¿o no?

Solo el recuerdo de Kelly O'Brien, y las cartas que le había escrito, le habían dado fuerzas para continuar. Pero nada más salir de la cárcel, supo que seguía prisionero entre unas rejas que él mismo había forjado. ¿Cuál era la manera de salir esa vez? Tenía que cumplir la promesa que le había hecho a Kelly y recuperarla fuera como fuera.

Cartas a Kelly
SUZANNE BROCKMANN

De una manera u otra, estaba condenado

¡PÍDELO EN TU PUNTO DE VENTA!

ANNE STUART

Sueña Conmigo

Aquella granja abandonada era el principio de una nueva vida para Sophie Davis. Allí podría realizar su sueño de tener un hotel rural. No le importaba que en aquel lugar se hubiera cometido un asesinato múltiple veinte años atrás...

Entonces apareció aquel desconocido...

Cuando aquel hombre se mudó a la casa de al lado, Sophie sintió que su tranquilidad se veía amenazada. Era obvio que el desconocido ocultaba algo y que seguramente eso era lo que lo había llevado hasta allí.

Y su sueño se convirtió en una pesadilla...

¿Quién era John Smith? ¿Por qué su mera presencia hacía que Sophie perdiera el control? ¿Y por qué tenía la sensación de que aquel hombre iba a poner en peligro todo lo que había deseado... e incluso su vida?

El sello de las ESTRELLAS del relato

N° 87

HARLEQUIN MIRA